Cœur salé

L'auteur

Cathy Cassidy a écrit son premier livre à l'âge de huit ou neuf ans, pour son petit frère, et elle ne s'est pas arrêtée depuis.

Elle a souvent entendu dire que le mieux, c'est d'écrire sur ce qu'on aime. Comme il n'y a pas grand-chose qu'elle aime plus que le chocolat... ce sujet lui a longtemps trotté dans la tête. Et, quand une amie lui a parlé de sa mère qui avait travaillé dans une fabrique de chocolat, l'idée de la série « Les Filles au chocolat » est née !

Cathy vit en Écosse avec sa famille. Elle a exercé beaucoup de métiers, mais celui d'écrivain est de loin son préféré, car c'est le seul qui lui donne une bonne excuse pour rêver !

Dans la même série

Les Filles au chocolat

1. Cœur cerise

2. Cœur guimauve

3. Cœur mandarine

3 ½. Cœur salé

4. Cœur coco

Cœur salé

Cathy Cassidy

Traduit de l'anglais par Anne Guitton

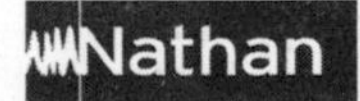

Loi n° 49-956 du 16 juillet 1949 sur les publications destinées à la jeunesse : juin 2015.

Ce titre a été publié pour la première fois en 2013, en anglais, par Puffin Books (The Penguin Group, London, England), sous le titre *The Chocolate Box Girls – Bittersweet*.

ISBN 978-2-266-25812-8

Cœur salé

Le cri d'une mouette résonne dans le matin blafard.
Les rayons du soleil n'atteignent pas mon lit…
J'entends ta voix au loin, je devine ton regard,
Je te sens qui approches, et un moment, j'oublie.
J'oublie que tes yeux se sont détournés de moi
J'oublie que soudain tu m'as chassé de ton cœur ;
La nuit dernière, j'ai rêvé de cerisiers en fleur,
Il me reste sur les lèvres un goût amer et froid…

Douce fleur de cerisier, j'ai le cœur salé
Dis-moi que tu ne m'oublieras pas.
Douce fleur de cerisier, j'ai le cœur salé,
Donne-moi encore une chance, reviens-moi.

Assis au bord de l'eau dans la lumière du soir,
Je contemple les vagues qui se brisent à mes pieds.
Elles te ressemblent tant, à mon grand désespoir,
Elles accourent puis me fuient, me laissent abandonné.
Mais je connais la mer, je sais qu'elles reviendront.
Est-ce un signe du destin, est-ce un heureux présage ?

Si les vagues retrouvent le chemin de la plage,
Peut-être que, toi et moi, nous nous retrouverons.

Douce fleur de cerisier, j'ai le cœur salé
Dis-moi que tu ne m'oublieras pas.
Douce fleur de cerisier, j'ai le cœur salé,
Donne-moi encore une chance, reviens-moi.

La vie peut basculer en un instant sans même qu'on s'en rende compte… Comme ce jour où, assis sur une plage au coucher du soleil, je jouais de la guitare et chantais pendant que mes amis faisaient griller des Chamallows sur un feu de bois. La fête battait son plein. Je n'avais même pas remarqué le grand type barbu qui m'écoutait attentivement – j'ignorais alors qu'il avait le pouvoir de changer le cours de mon existence, de m'ouvrir des portes, de m'offrir une chance de connaître la gloire et la fortune.

Mon ami Finn m'a donné un petit coup de coude, le sourire aux lèvres.

— Tu vois le barbu, là, près de ma mère ? C'est un de ses amis. Il vient de Londres. Elle lui a parlé de ta musique, et il a décidé de faire l'aller-retour ce week-end pour t'écouter. Il s'appelle Curtis Rawlins. Tu devrais lui dire bonjour.

— Ah bon ? j'ai répondu en plissant les yeux. Tu crois ?

Les semaines précédentes avaient été mouvementées : une équipe de télé s'était installée au village pour tourner un film. La mère de Finn, Nikki, en était la productrice. Tous deux avaient passé l'été dans la famille de Cherry, ma copine ; mais le tournage touchait à sa fin, et ils n'allaient pas tarder à rentrer à Londres. Cette soirée sur la plage était une sorte de fête d'adieu.

Nikki m'avait entendu jouer plusieurs fois au cours des vacances, mais je n'y avais pas prêté attention. Avec son petit bouc et son chapeau en feutre rouge, son ami avait le look branché des gens du show-business. Je les ai salués de la main. Ils m'ont souri.

— Curtis est chasseur de talents pour une maison de disques, m'a expliqué Finn. Wrecked Records… tu en as sans doute entendu parler ?

Je n'en croyais pas mes oreilles. Tout le monde connaissait cette major, qui produisait certains de mes groupes préférés.

— Attends une seconde… tu plaisantes ?

— Non, Curtis est bien chasseur de talents.

— Waouh ! Et répète-moi ce que tu as dit tout à l'heure ?

— Maman lui a parlé de toi. Elle lui a envoyé une copie du CD que tu m'as donné, et un lien vers tes enregistrements sur Internet. Il a adoré. C'est pour ça qu'il a voulu te rencontrer et qu'il t'écoute depuis une heure. Alors… tu comptes rester planté là ?

Il m'a poussé vers eux.

— Bonjour, Nikki, bonjour, Curtis, j'ai commencé poliment.

Le barbu, souriant, m'a serré la main. Il avait une dizaine de piercings à l'oreille.

— Shay, c'est bien ça ? m'a-t-il demandé. Tu es doué. Tu écris tes chansons toi-même ?

Je lui ai répondu que oui. Il a ensuite voulu savoir si j'avais déjà enregistré un disque et si ça me plairait. Wrecked Records était constamment en quête de nouveaux talents. D'après lui, je correspondais tout à fait à ce qu'ils recherchaient.

— Sérieux ? je me suis étonné. Moi ?

Curtis a acquiescé.

Ça aurait pu être aussi facile que ça. J'aurais pu décrocher un contrat sur-le-champ avec un label londonien renommé. Curtis trouvait que j'avais un « truc en plus » : un talent brut, de belles chansons au charme un peu décalé. Sans compter la jeunesse, la motivation et le physique idéal.

Moi. Sans rire. Il me parlait d'une carrière, d'un avenir brillant. Son équipe et lui se chargeraient de la promotion en organisant quelques concerts privés auxquels ils convieraient les médias.

— Tu pourrais devenir célèbre, m'a confié Curtis. Ces ballades rock, ces textes doux-amers, ce look de surfeur… tu es unique, les gens vont t'adorer !

Ma vie aurait pu basculer à cet instant.

Malheureusement, ce n'est pas ce qui s'est passé.

Le problème, c'est que j'ai à peine quinze ans et que je suis encore au lycée. Pour Curtis, ce n'était pas gênant à condition que mes parents me soutiennent.

— Ne t'inquiète pas, m'a-t-il rassuré. Je vais leur parler, tout leur expliquer. Fais-moi confiance !

C'est à ce moment-là que j'ai compris que c'était fichu. Mes parents n'écouteraient jamais ce type, avec son bouc, ses piercings et son chapeau, leur parler de mes ballades rock et de mon look de surfeur. Aucune chance.

— Je peux passer chez toi demain avant de repartir pour Londres, m'a proposé Curtis. Quelle heure t'arrangerait ?

— On sera au travail. Mon père gère le centre nautique, et le dimanche est une de nos journées les plus chargées.

— Il faut pourtant que je lui parle.

— Bon… le week-end, on n'ouvre pas avant onze heures. Donc si vous venez à la maison vers dix heures, vous devriez le trouver.

— Cool !

Ce n'était pas cool du tout, et je n'étais pas le seul de cet avis.

— Tu ne crois pas que tu devrais l'annoncer toi-même à ton père ? s'est inquiétée Cherry. Ou au moins évoquer le sujet pour préparer le terrain ? Sinon, ça va lui faire un sacré choc.

— Tu as sans doute raison.

— Évidemment. Tu le connais, il est plutôt méfiant. Il faut lui laisser le temps de s'habituer à l'idée, sinon il ne laissera même pas entrer Curtis !

J'ai levé les yeux vers le croissant de lune argenté qui brillait dans le ciel de septembre, dans l'espoir d'y trouver l'inspiration. Mais l'astre est resté muet.

— Je lui en parlerai demain à la première heure, j'ai promis.

Bien entendu, ça ne s'est pas passé comme je l'espérais.

J'ai lancé ma bombe au petit déjeuner, après avoir préparé le festin préféré de mon père – œufs brouillés et smoothie à la banane saupoudré de cannelle. Ça n'a servi à rien. Il a dit non, ou plutôt, il l'a hurlé, avant d'enchaîner sur une série de jurons. C'était clair : il ne changerait pas d'avis. J'ai envoyé un texto à Cherry pour la prévenir. Elle m'a appelé aussitôt et m'a conseillé de ne pas m'avouer vaincu.

— Laisse-lui le temps de digérer. Qui sait, tu pourrais être surpris.

— Ça m'étonnerait. Il n'écoutera pas… il a rejeté l'idée en bloc. C'est mort.

— Nikki et Curtis seront peut-être plus convaincants que toi. Leurs arguments auront plus de poids. Tu as rempli ton rôle, alors maintenant, détends-toi. Il reviendra sur sa décision.

C'est ça. Quand les poules auront des dents.

Une demi-heure s'est écoulée depuis cette conversation. Je suis assis derrière ma fenêtre, souhaitant n'avoir jamais croisé le chemin de Curtis Rawlins. Si j'en crois l'air buté de mon père, qui fait les cent pas dans la cuisine, je ferais mieux d'oublier mes projets de disque. Maman et Ben ont préféré s'éclipser ; ils sont déjà au centre nautique.

— C'est mal parti, petit frère, a commenté Ben en sortant. Désolé.

Moi aussi, je suis désolé. Le nez contre la vitre, je surveille le chemin dans l'espoir de voir arriver Curtis et de l'intercepter avant que papa ne lui tombe dessus. Les choses risqueraient de dégénérer. Finalement, je ne suis pas assez rapide : papa ouvre la porte au moment précis où Nikki et son ami apparaissent, pleins d'espoir.

— Quoi que vous vouliez, c'est non, rugit papa avant même que j'aie fini de descendre l'escalier. Je les connais, les gens de votre espèce. Peu importe le type de contrat, ça ne m'intéresse pas. Mon fils ne veut rien avoir à faire avec vous !

— S'il vous plaît, monsieur Fletcher, intervient la mère de Finn. Laissez-nous une chance de nous expliquer. Je vous assure que la démarche de Curtis est on ne peut plus sincère...

— Je ne suis pas intéressé, répète papa.

Mon cœur se serre. Il ne cédera pas d'un pouce, même face à une productrice de films et à un chasseur de talents londonien. C'est une question de principe.

— Je ne suis pas certain que vous compreniez bien, insiste Curtis. Shay pourrait vraiment se faire un nom dans le métier. Wrecked Records le prendrait sous son aile pour l'aider à développer son talent et à perfectionner ses créations…

— Hors de question.

— Pourtant, monsieur Fletcher, Shay a tout ce qu'il faut pour réussir, tente Nikki. Il est beau, doué et son style est très personnel…

Les yeux de papa se posent sur le bouc de Curtis, puis sur ses piercings et son chapeau. Il grince des dents, se retenant à grand-peine d'exprimer son opinion sur le « style très personnel » du jeune homme.

— Ça n'arrivera pas, dit-il enfin. Le show-business est corrompu par l'alcool, la drogue et la débauche. C'est bien connu. Jamais mon fils ne mettra le pied dans cet engrenage !

— Vous pourriez être son manager, le tenir à l'écart de tout cela, argue Nikki. Shay a du talent. Vous ne voudriez tout de même pas gâcher son potentiel, monsieur Fletcher ?

— Du talent ? Et depuis quand est-ce suffisant ? Vous regardez trop *X-Factor*, madame. Écoutez-moi bien, puisque apparemment je n'ai pas été assez clair la première fois : plutôt mourir que d'accepter ! Me suis-je bien fait comprendre ?

Mes poings se crispent. Comment peut-il être si grossier, si agressif ? Debout derrière lui, je jette un regard mortifié à Nikki et Curtis.

— Toute cette histoire est complètement ridicule, poursuit papa. Shay n'a que quinze ans. Il n'a pas fini ses études, et j'ai besoin de lui au centre nautique. C'est une entreprise familiale. Nous y effectuons un vrai travail, un travail physique qui n'a rien à voir avec vos fichues paillettes et votre poudre aux yeux !

— Papa ! je le coupe. S'il te plaît ! Une chance pareille ne se produit qu'une seule fois dans une vie. Écoute au moins Nikki et Curtis...

— Je les ai écoutés. Et ce que j'ai entendu ne m'a pas plu. Tu ne vois pas qu'ils essaient de t'embobiner ? Alors c'est non. Point final.

Il s'apprête à refermer la porte. Au dernier moment, Curtis se retourne et coince son pied entre le cadre et le battant. Il tend sa carte ainsi qu'une liasse de papiers à mon père.

— Réfléchissez, conseille-t-il. Il n'y a pas d'urgence. Vous savez comment me joindre en cas de besoin.

Puis il s'écarte, juste à temps pour ne pas avoir le pied broyé. La pile de brochures et de formulaires atterrit aussitôt dans la poubelle.

Beaucoup plus tard, quand la pire journée de ma vie se termine enfin et que papa va se coucher, je les récupère pour les cacher sous mon matelas. Ils sont froissés et tachés de thé.

Mais je n'ai pas l'intention de renoncer aussi facilement.

Le plus paradoxal dans tout ça, c'est que mon père croit au talent – il y croit même un peu trop. Mais il sait que la célébrité et la fortune peuvent être passagères. Pour lui, la star de la famille, c'est mon grand frère.

Ben a toujours été une légende dans la région. Il est très doué pour le sport, le football en particulier… Il a intégré l'équipe junior de la ville de Bristol à l'âge de quatorze ans, avant d'être recruté deux ans plus tard par Southampton. Malheureusement, à la suite d'une blessure pourtant bénigne, il a dû renoncer à ses projets de carrière en ligue 1.

Papa n'a pas supporté cet échec. Il trouve injuste qu'un garçon si doué et si travailleur ait été mis au rebut d'un seul coup. C'est sans doute pour cette raison qu'il se méfie des belles promesses.

Depuis, Ben est entré à l'université pour étudier les sciences du sport – la meilleure décision de sa vie, d'après lui. Il a enfin pu sortir, s'amuser et profiter de tout ce dont il était privé quand il s'entraînait. Cet été, après avoir décroché son diplôme, il a commencé à travailler à plein temps au centre nautique, tout en continuant à faire la fête.

— On n'est jeune qu'une fois ! Détends-toi un peu, Shay. Vis ! me répète-t-il sans cesse.

Mais je ne l'écoute pas.

J'ai arrêté de suivre ses conseils quand j'avais cinq ans. Il avait fabriqué un mini-kart et m'avait proposé de l'essayer le premier. Fier comme tout, je l'avais suivi jusqu'au sommet de la colline derrière chez nous.

— C'est toi qui contrôles la trajectoire. Il suffit de tirer sur la corde pour tourner à droite ou à gauche, et pour ralentir, m'avait-il expliqué. Tu as vraiment de la chance d'être le pilote d'essai, tu te rends compte ? Tu t'en souviendras toute ta vie !

Ça, on peut dire que je m'en suis souvenu. Je me suis assis sur le siège, Ben m'a poussé de toutes ses forces et j'ai dévalé la colline à cent cinquante mille kilomètres heure. Au bout de trois secondes, la corde m'est restée dans les mains ; et bien entendu, il n'y avait pas de freins. Je suis arrivé en bas en hurlant comme un dingue. Une roue s'est détachée tandis que je traversais le jardin à toute allure, et je me suis écrasé contre le mur de la maison, dans un massif de fleurs, le bras cassé à deux endroits.

Ben s'est précipité vers moi.

— Ne cafte pas, hein ! m'a-t-il chuchoté à l'oreille alors que je gisais encore parmi les lupins. Sinon, j'aurai des problèmes. Tu ne voudrais pas que je me fasse gronder ?

Alors je n'ai rien dit, même quand papa m'a incendié parce que j'avais pris le kart de mon frère sans permission, même quand maman a râlé devant ses plates-bandes saccagées, même quand le médecin des urgences a manipulé mon bras avant de le plâtrer. J'ai pleuré un peu, parce que je n'avais que cinq ans et que ça faisait très mal. Mais Ben m'a soufflé d'arrêter mon cinéma, alors je me suis mordu les lèvres et j'ai essayé d'être courageux.

— Pourquoi faut-il toujours que tu fasses des bêtises, Shay ? a soupiré mon père. Pourquoi ne suis-tu pas l'exemple de ton frère ?

Cette question, je l'ai entendue toute ma vie sans pouvoir y répondre. Car c'est vrai : je ne ressemble en rien à Ben. On est aussi différents que le jour et la nuit, le noir et le blanc, le sucre et le sel.

Je chasse ces pensées de mon esprit et trempe mon pinceau dans un pot de peinture à l'odeur nauséabonde afin d'en badigeonner la coque d'un canot retourné.

On est lundi soir ; deux jours se sont écoulés depuis le moment où ma vie n'a *pas* basculé. Et les choses ne se sont pas arrangées. Finn et Nikki sont repartis pour Londres avec Curtis, emportant dans leurs bagages les dernières traces de l'été. Mon ami va me manquer, tout comme nos longues journées de liberté qui se prolongeaient jusque tard dans la nuit, au milieu des rires et de la musique.

À croire que mon père a claqué la porte sur ce qui me rendait heureux.

Pour couronner le tout, les cours ont repris aujourd'hui. Mon esprit a décroché dès que les profs ont commencé à nous parler d'année charnière et de diplôme déterminant pour la suite de nos études. Qu'est-ce que ça peut me faire ? Je vais sûrement rater mon brevet et arrêter le lycée. J'entamerai alors une vie d'esclavage au centre nautique, à gratter les coquillages collés sur les coques et à donner des leçons de kayak aux gamins.

Toute la journée, j'ai frôlé les murs en espérant que personne n'était au courant de la proposition que Curtis m'avait faite. Malheureusement, il a dû y avoir des fuites car à la récré, plusieurs élèves sont venus me demander si j'allais vraiment signer chez Wrecked Records. J'ai répondu que je ne voyais pas de quoi ils parlaient, ce qui n'a fait qu'alimenter les rumeurs.

S'ils savaient que ce contrat en or dans une grande maison de disques, j'ai été contraint de le refuser...

Je suis le plus gros loser de tout l'Univers.

Au moins, au centre nautique, je n'ai pas à supporter les ragots ni les regards tristes de Cherry. Je déteste qu'on s'apitoie sur mon sort.

Je chasse ces pensées de mon esprit et trempe à nouveau mon pinceau dans la peinture.

Revenons-en à mon frère, la star.

Quand j'avais sept ans, Ben a marqué trois buts lors de la finale du tournoi régional des moins de treize ans. Sur la photo parue dans le journal à cette occasion, on le voit brandir un trophée en argent. Papa a installé une étagère dans notre chambre pour exposer ses coupes, puis une autre quand il n'y a plus eu de place sur la première. Lorsque la deuxième a été saturée, il a réquisitionné les miennes. Certes, je ne risquais pas de gagner des trophées – je n'ai hérité ni du gène sportif ni du goût de la compétition.

— Shay Fletcher ? Le petit frère de Ben ? s'étonnaient, chaque année, mes professeurs de sport. On ne peut pas dire que tu suives ses traces !

Évidemment, mon frère a aussi beaucoup de succès auprès des filles. Dès qu'elles voient ses cheveux blonds, sa carrure d'athlète et sa peau dorée par le travail en plein air, elles fondent. Quand il jouait au foot, à chacun de ses matchs, des bandes de groupies se massaient dans les tribunes pour l'encourager. Il n'avait qu'à sourire pour qu'elles lui tombent dans les bras. Maintenant, il a une copine. Il l'a rencontrée à l'université, mais elle vit à des centaines de kilomètres d'ici. Ce n'est pas plus mal : elle ne le voit pas flirter avec tout ce qui porte une jupe à cinquante kilomètres à la ronde.

Même si je n'ai ni les épaules ni la popularité d'un joueur de football, j'ai moi aussi les cheveux blonds, les yeux clairs et la peau bronzée. Au début, quand les filles me demandaient si j'étais le frère de Ben, je croyais que c'était pour obtenir son numéro de téléphone. Mais petit à petit, j'ai fini par comprendre que certaines s'intéressaient vraiment à moi.

— Bien joué, petit frère, m'a félicité Ben lorsque j'ai commencé à sortir avec Honey Tanberry il y a trois ans.

Enfin, je suscitais son admiration.

C'est sans doute une des raisons pour lesquelles je suis resté aussi longtemps avec Honey. Elle n'était pas facile à vivre – sous ses airs délurés, c'était une fille blessée, en colère et perdue. Nos problèmes de famille nous ont rapprochés. J'ai cru pouvoir la rendre heureuse, mais je me trompais. À force, j'ai fini par me lasser de son goût pour les psychodrames.

Je ne comprenais pas pourquoi elle critiquait sans cesse sa mère et haïssait tant son nouveau beau-père. Moi, je les trouvais plutôt cool. Lorsque j'ai osé le lui dire, elle m'a regardé comme si je l'avais trahie. Mon opinion ne comptait pas pour elle. Je n'étais qu'un des accessoires de sa panoplie : sortir avec un guitariste, c'était bon pour son image.

Notre couple battait de l'aile, et évidemment, ça s'est mal terminé.

Lorsque j'ai rencontré Cherry, ça a été le coup de foudre, sans aucune commune mesure avec ce que j'avais pu éprouver jusque-là. Mais c'était la nouvelle demi-sœur de Honey, et quand j'ai annoncé à cette dernière que je la quittais, elle m'a traité de tous les noms... Je ne peux pas lui en vouloir : de son point de vue, c'était un coup de poignard dans le dos.

Cette période a été un vrai cauchemar.

Honey a hurlé, pleuré, elle m'a lancé des objets au visage, et aujourd'hui encore, plus d'un an après, elle me regarde avec une telle froideur que je sens des stalactites se former dans mes cheveux. Un vrai cauchemar.

Après avoir terminé de badigeonner le dernier canot, je referme le pot de peinture et me dirige vers le cabanon où nous stockons le matériel afin de nettoyer mon pinceau. Au fil des ans, cette pièce est devenue ma tanière. Il y a un vieux canapé taché et une bouilloire. Pratique, pour se préparer une soupe de nouilles ou un chocolat chaud. C'est l'endroit rêvé où se pelotonner avec une guitare, réfléchir, rêver et écrire des chansons sans avoir son père sur le dos.

Il reste une pile de soupes sur une étagère, et la moitié d'une plaquette de chocolat. Je suis déjà en retard pour dîner : autant passer la soirée ici. Les remarques vexantes de mon père, les silences pesants et les regards de pitié de ma mère et de mon frère ne vont pas me manquer.

Le soleil est en train de se coucher, teintant le ciel de rose et de doré. Dans le cabanon, il fait sombre, ce qui explique que je ne l'aie pas tout de suite remarquée. Je bondis en l'apercevant.

Honey. Elle est assise au bout du plan de travail, les jambes ballantes, les cheveux ébouriffés. Son mascara a coulé et elle a les cils humides, comme si elle avait pleuré.

— Shay ? souffle-t-elle d'une petite voix. J'ai besoin de toi. J'ai des ennuis – de gros ennuis.

Honey a pourtant l'habitude des ennuis. Chez elle, c'est une seconde nature. S'il y avait un examen pour ça, elle aurait vingt sur vingt sans effort...

J'ai appris à ramasser les morceaux derrière elle à l'époque où on était ensemble : Honey créait des problèmes, et moi je les résolvais. C'est comme ça qu'on fonctionnait. Mais ça n'explique pas ce qu'elle fabrique dans mon cabanon ce soir.

— OK, je commence, me préparant au pire. Qu'est-ce qui se passe, cette fois ? Incendie, inondation, invasion de grenouilles ? À moins que tu ne te sois cassé un ongle ?

Je sais, c'est méchant, mais nos relations sont assez tendues ces derniers temps. En voyant ses lèvres trembler et ses yeux se remplir de larmes, je regrette aussitôt mes paroles. Et si c'était vraiment grave ?

Elle pleure de plus en plus fort, les épaules secouées de sanglots, des traînées noires sur les joues. Je déteste voir une fille pleurer. Je ne sais jamais comment réagir.

— Là, là, je marmonne en lui touchant le bras d'un geste gauche. Ça ne peut pas être si terrible !

Honey enfouit son visage dans mon cou et je panique : visiblement, si, c'est terrible. J'aurais mieux fait de me taire. Et si on avait diagnostiqué une maladie incurable à sa mère ? Si son bon à rien de père avait fait faillite et sauté du pont de Sydney ? Et moi qui lui parle d'ongles cassés. C'est malin.

Pendant ce temps, Honey reste agrippée à mon tee-shirt, dont la manche commence à être trempée. Je reconnais l'odeur de son shampoing préféré à la vanille et à l'amande, mêlée à celle de son chewing-gum à la menthe. Je passe un bras autour de ses épaules, puis je le retire, gêné.

— Chut, je murmure. Ne pleure pas. Raconte-moi.

Nous nous asseyons côte à côte sur le vieux canapé, comme quand nous sortions ensemble. Elle s'essuie les yeux avec un coin de mon tee-shirt, y laissant des traces de mascara et de fard à paupières pailleté.

— Ils me détestent, annonce-t-elle finalement dans un souffle. Je te jure. Tout ça parce que je suis rentrée un peu tard...

À l'époque où je la fréquentais, son couvre-feu était à vingt-trois heures le week-end et encore plus tôt en semaine. Mais d'après Cherry, désormais, Honey est soit « punie » soit « pas punie ». Il y a à peine quelques semaines, elle a mis le feu à une étable alors qu'elle fumait en cachette avec un garçon de l'équipe de tournage. En essayant d'éteindre les flammes, sa sœur Summer s'est évanouie et s'est retrouvée à l'hôpital. Honey en a été tellement bouleversée qu'elle a volé de l'argent et a fugué. Ils l'ont arrêtée à l'aéroport alors qu'elle s'apprêtait à acheter un billet pour rejoindre son père en Australie. Aux dernières nouvelles, elle était interdite de sortie jusqu'à Noël.

Or on n'est même pas en décembre.

— J'étais chez des amis, m'explique-t-elle. J'ai le droit, non ? Et puis c'était le dernier jour des vacances, ils auraient pu me laisser un peu de liberté !

Je m'abstiens de lui rappeler qu'à chaque fois qu'on lui a laissé *un peu de liberté,* elle en a profité pour enchaîner les catastrophes.

— D'accord, j'ai légèrement abusé, poursuit-elle. J'ai dormi là-bas, en pensant aller en cours directement le lendemain. Mais je ne me suis pas réveillée. Évidemment, maman n'a pas pu s'empêcher d'appeler le lycée et la police… Après, on dit que c'est moi qui surréagis !

Je fronce les sourcils.

— Si je résume la situation, tu as passé la nuit dehors et tu as séché les cours. Sans compter ta tentative de fugue d'il y a trois semaines… Honey, tu ne crois pas que ta mère a des raisons de s'inquiéter ?

— Non ! Je n'ai pas fait exprès de sécher les cours, je ne me suis juste pas réveillée ! Je ne risquais absolument rien, j'étais chez des amis, je t'ai dit ! Maman et Paddy étaient prêts à lancer des recherches… n'importe quoi. Maintenant, non seulement j'ai des problèmes avec le lycée, mais la police me surveille parce qu'il paraît que je suis sur une mauvaise pente. Ça rime à quoi, ça ?

— Je n'en sais rien.

— Moi, je sais, reprend-elle d'une voix tremblante. Ça veut dire que la prochaine fois que les flics entendront parler de moi, ils contacteront les services sociaux. Tu m'entends ? Les services sociaux ! Comme si j'étais une délinquante ! C'est trop injuste, je n'ai même pas essayé de fuguer ! Tout est de la faute de maman et de Paddy. Ils veulent se débarrasser de moi. On va m'envoyer dans un foyer, et ils seront bien contents !

Elle recommence à sangloter. Je prie pour que quelqu'un vienne à ma rescousse, car cette situation me met très mal à l'aise. Mes yeux se posent sur un chiffon propre, plié sur l'accoudoir du canapé. Je le lui tends, mais elle préfère enfouir à nouveau sa tête dans mon cou. Je connais des tas de garçons qui paieraient cher pour se retrouver à ma place. Mais moi, j'ai déjà donné.

Mon portable sonne, et la photo de Cherry apparaît sur l'écran. Ce n'est pourtant pas à elle que je pensais quand j'espérais qu'on vienne m'aider. Je m'écarte de Honey comme si une mouche m'avait piqué.

— Je ne mords pas, tu sais, lance-t-elle, vexée.

— Non, non. Mais… euh… c'est Cherry.

— Ne réponds pas, me supplie-t-elle. Pas tout de suite. Attends cinq minutes, s'il te plaît ! Je sais que tu ne m'aimes pas beaucoup, Shay, mais tu veux bien faire ça pour moi ? En souvenir du passé ?

J'hésite.

— Allez ! Tu la rappelleras plus tard, insiste-t-elle. D'accord ?

Je laisse le téléphone sonner sans répondre. Je culpabilise, et en même temps je vois mal comment j'expliquerais à Cherry ce que je fabrique dans mon petit cabanon avec mon ex en larmes.

— Merci, Shay. Avec toi, au moins, je peux parler. J'ai toujours pu. Personne d'autre ne me comprend. Tu es le seul qui ne me juge pas.

— Bon, je déclare, perdant patience. Tu as de bonnes raisons d'être dans tous tes états, mais il faut que tu te calmes. Ce n'est ni la faute de Charlotte, ni celle de Paddy. Ils ont dû être malades d'inquiétude quand tu as disparu !

— Je n'ai pas disparu, bougonne Honey.

— Ils savaient où tu étais ?

— Non, mais...

— Honey, tu étais punie. Tu as filé sans prévenir, tu as passé la nuit dehors et tu as séché les cours le lendemain. À ton avis, quelle impression ça donne ?

Elle remonte ses jambes sur le canapé, les bras autour des genoux. Tout à coup, elle semble avoir à peine dix ans.

— OK, j'ai abusé… chuchote-t-elle. Il n'empêche que maintenant, je suis mal. J'ai une espèce de casier de fugueuse, et la menace des services sociaux au-dessus de la tête. Ce n'est pas juste. Et maman et Paddy me détestent, je te jure que c'est vrai ! Finalement, ça m'est égal qu'on me place en foyer. De toute façon, ils n'arrêtent pas de me menacer de m'envoyer en pension. Ils n'ont qu'à m'abattre tout de suite, tant qu'à faire. Ma vie est trop nulle.

— Tu crois que tu es la seule à avoir passé une mauvaise journée ?

Honey me jette un regard en coin.

— Ah oui, Wrecked Records… Cherry a évoqué cette histoire. Pas devant moi, bien sûr – ta petite chérie n'aime pas trop me parler –, mais j'ai surpris sa conversation. Ça craint. Ton père est toujours aussi charmant, à ce que je vois.

— Il ne changera jamais.

— En gros, on a tous les deux une famille pourrie. On t'offre la chance de ta vie, celle de concrétiser ton rêve, et ton père la fiche en l'air. Sympa.

La colère que j'ai tenté de réprimer toute la journée remonte brusquement à la surface, s'infiltrant dans mes veines comme du poison. Malgré tous mes efforts, je sais que je ne pourrai jamais satisfaire mon père ni le rendre fier de moi. Alors que Ben, lui, y arrive sans difficulté.

Je passe toujours après mon frère. Ce que j'aime, ce pour quoi je suis doué, ça ne compte pas.

— Ma famille veut se débarrasser de moi par n'importe quel moyen, insiste Honey. Alors je préfère m'enfuir, puisqu'ils n'attendent que ça.

— Ils s'inquiètent, c'est tout.

Ses yeux se mettent soudain à briller.

— On pourrait partir tous les deux, souffle-t-elle. On pourrait sauter dans un train pour Londres, mentir sur notre âge, louer un appartement. Tu enregistrerais un disque avec Wrecked Records, tu ferais des concerts... tu deviendrais célèbre. Et moi, je serais créatrice de mode. Je dessinerais de super robes que je vendrais au marché de Camden. Si ça se trouve, moi aussi je finirais par être remarquée...

Un minuscule frisson d'excitation parcourt mon corps à cette idée, avant que la dure réalité ne reprenne ses droits. Quand on fugue, on ne loue pas d'appartement, on ne devient pas célèbre ; on dort n'importe où, on meurt de faim et on est une proie facile pour les prédateurs. Ça n'a rien de cool ; c'est dangereux et complètement inconscient.

Et puis... Honey et moi ? Aucune chance. Comment a-t-elle pu ne serait-ce que l'envisager ?

— Oublie ça, Honey. Tu rêves.

— Peut-être pas ! On leur montrerait à tous qu'on peut réussir sans eux. Ils regretteraient de ne pas avoir cru en nous ! Qu'est-ce qu'on a à perdre ?

— Plein de choses. Il vaut mieux rester ici le temps de passer notre brevet, puis notre bac… C'est le meilleur moyen de nous en sortir. Je veux aller en fac de musicologie. À Londres, Leeds ou Liverpool, peu importe pourvu que ce soit loin d'ici. Et toi, tu pourrais t'inscrire aux beaux-arts. C'est ce que tu voulais, avant.

— Mes notes sont en chute libre. Et on n'ira pas à l'université avant plusieurs années. On n'a que quinze ans. Je ne suis pas sûre de tenir aussi longtemps !

— Si j'y arrive, tu y arriveras. En plus, si tu t'enfuis, la police te retrouvera. Et ensuite ? Les services sociaux s'en mêleront, comme tu le craignais. Tu auras tout gagné.

— Pas faux…

Elle reste assise là, les épaules basses, l'air vulnérable. J'ai toujours su que, derrière sa façade de rebelle, Honey Tanberry n'était qu'une petite fille perdue, abandonnée par son père au moment où elle avait le plus besoin de lui.

— Qu'est-ce qui cloche chez nous, Shay ? me demande-t-elle d'une voix triste. Pourquoi sommes-nous si difficiles à aimer ?

— Je n'en sais rien, je soupire.

Cette fois, quand elle se penche et pose sa tête sur mon épaule, je ne la repousse pas.

4

Lorsque je monte à bord du bus scolaire le lendemain matin, Cherry me fait signe. Je m'assieds à côté d'elle en jetant un coup d'œil vers le fond, où se trouvent généralement Honey et sa cour. Elle n'est pas là. La nuit dernière, je l'ai dissuadée de s'enfuir pour Londres et convaincue de se remettre au travail. À minuit, je l'ai raccompagnée jusqu'au portail de Tanglewood. Mais si elle avait changé d'avis après coup ? Si elle avait attendu, cachée sous les arbres, que je m'éloigne pour partir en stop ?

Et si mes confidences et mes encouragements n'avaient servi à rien ?

— Que s'est-il passé, hier soir ? me demande Cherry. Je n'ai pas arrêté de t'appeler, mais ça ne répondait pas.

— Désolé… ma batterie était morte, je ne m'en suis rendu compte que ce matin… J'ai laissé mon téléphone à la maison pour le recharger.

— Ah bon ? Pourtant, ça sonnait, je ne tombais pas sur le répondeur…

— Il fait ça, parfois, quand il est à plat, je bluffe.

Ce serait tellement plus simple de lui dire la vérité. Mais je ne sais pas comment elle réagirait si elle apprenait que j'ai passé la soirée avec Honey. Elle ne comprendrait pas. Moi-même, j'ai du mal.

— Pas de souci, me rassure Cherry. Je me doutais qu'il devait y avoir une explication de ce genre. Tu n'aurais pas ignoré mes appels volontairement ! Mais je voulais vérifier que tu allais bien – j'avais peur que tu déprimes.

— Ça va. Enfin, ça ira mieux demain. Pour le moment, je préfère éviter mon père. Hier soir, je suis resté tard au centre nautique pour repeindre des bateaux. C'était pile ce qu'il me fallait : une tâche répétitive pour déconnecter. Ensuite, je me suis réfugié dans le cabanon et j'ai joué de la guitare. Je n'ai pas vu le temps passer... Quand je suis rentré me coucher, il était plus de minuit.

— Mon pauvre Shay, soupire Cherry. Tu dois tellement en vouloir à ton père – il a brisé tous tes rêves.

— Que veux-tu que je te dise ? Mon père est une plaie, ce n'est pas nouveau. Mais la vie continue. Tu me connais, je vais rebondir.

— Je n'en doute pas. En tout cas, si tu veux en parler...

Ce qu'elle ignore, c'est que j'ai déjà vidé mon sac auprès d'une autre. Honey s'est trouvée au bon endroit au bon moment. Toute la colère et la rancœur que j'éprouvais pour mon père sont sorties d'un coup.

Avec le recul, j'ai quelques remords. J'ai l'impression d'avoir trahi Cherry.

Elle me regarde, inquiète. Elle est jolie, douce et beaucoup plus amoureuse de moi que Honey ne l'a jamais été. Je serais dingue de tout gâcher en renouant avec mon ex. De toute façon, ce n'est pas mon intention.

La soirée d'hier ne compte pas.

— Je n'ai pas envie d'en parler, je déclare en essayant d'oublier mon sentiment de culpabilité. Pas tout de suite. Mais je sais que tu es toujours là pour moi, Cherry. Ça m'aide beaucoup.

Alors que le bus poursuit son chemin sur les petites routes de campagne, un sentiment de frustration m'envahit. Dire que je vais rester coincé dans cette région ennuyeuse pendant encore trois ans... Mes journées vont s'écouler sur le même rythme immuable : petit déjeuner, bus, lycée, bus, centre nautique. Heureusement que je peux passer une heure de temps en temps en compagnie de Cherry ou de ma guitare. Ce n'est pas si mal, et bien des gens m'envieraient. Pourtant, soudain, ça ne me suffit plus.

Je veux changer les règles, donner un coup de pied dans la fourmilière. J'en ai marre d'attendre que ma vie commence. Le moment est venu d'agir.

Est-ce aussi ce que ressent Honey ?

— Hé, me lance Cherry en me touchant le bras. Tu es complètement parti !

— Désolé.

Si seulement je pouvais partir pour de vrai. À des kilomètres de mes parents grincheux, de mon grand frère parfait, de mon ex folle, de ma copine trop gentille, du lycée, des devoirs et des examens qui approchent. Je dois faire un effort pour revenir à moi.

— J'étais en train de te raconter les derniers exploits de Honey, poursuit Cherry. Cette fois, elle a vraiment poussé le bouchon trop loin ! Elle a passé la nuit de dimanche à lundi dehors et a séché les cours. On a cru qu'elle avait encore fugué ! Je ne te dis pas la crise, hier. Papa et Charlotte se disputaient, Summer et Skye pleuraient, Coco s'est enfermée dans sa chambre en refusant de nous parler. Et comment crois-tu que Honey a réagi ? Elle s'en est prise à papa et Charlotte parce qu'ils avaient appelé la police, et puis elle est ressortie en claquant la porte…

Un sentiment de malaise m'envahit.

— Alors… elle a encore disparu ? J'ai remarqué qu'elle n'était pas dans le bus…

— Ah bon ?

Cherry paraît un peu vexée. Je me rends compte trop tard que j'ai manqué de tact.

— Pas de panique, Honey n'a pas disparu, finit-elle par répondre. Charlotte l'a conduite au lycée de bonne heure pour une réunion avec le directeur et plusieurs profs. Voilà pourquoi elle n'est pas là.

— C'était juste une question ; au fond, je m'en fiche pas mal. Pourquoi est-ce que je la chercherais dans le bus, ça ne rime à rien, pas vrai ?

Arrête, Shay, tu t'enfonces... La situation est déjà assez compliquée.

— Oui, bon, bref. Honey n'a pas disparu, mais c'est tout comme : elle n'est pas rentrée avant minuit hier soir, et tout le monde était malade d'inquiétude. On n'a aucune idée de l'endroit où elle a pu aller. Papa et Charlotte ont appelé toutes ses amies...

Je suis incapable de regarder Cherry dans les yeux. Comment pourrait-elle deviner que Honey se trouvait avec moi ? Elle n'a pas besoin de le savoir. Jamais.

Le bus s'arrête devant le lycée d'Exmoor et nous nous laissons porter par le flot des élèves. Les demi-sœurs jumelles de Cherry, Skye et Summer, nous dépassent. Skye attrape mon bonnet au vol puis me le rend en riant. Je me force à sourire.

— Qu'est-ce qui a bien pu passer par la tête de Honey ? continue Cherry.

J'ai hâte qu'elle change de sujet.

— Quelle idée de rester dehors aussi tard alors qu'elle est en sursis ? Je ne la comprendrai jamais. On dirait qu'elle fait tout pour avoir des problèmes.

— Elle a peut-être juste besoin qu'on la laisse tranquille, je soupire. Le temps que ça se calme. À mon avis, elle ne se met pas une seconde à votre place. Elle souffre trop pour penser aux autres.

Cherry fronce les sourcils.

— Dis donc, tu as l'air drôlement au courant de ce qu'elle ressent !

Il y a de l'électricité dans l'air. Depuis un an qu'on sort ensemble, Cherry et moi n'avons jamais été aussi proches de la dispute. Elle est en colère, je le vois, et blessée aussi… Honey nous a rendu la vie impossible l'année dernière. En prenant sa défense, je me rends coupable de trahison. Mais je ne peux pas m'empêcher d'avoir pitié d'elle. Et là, tout de suite, je suis très énervé – contre Honey, contre Cherry, et contre moi-même. J'aimerais pouvoir remonter le temps et recommencer cette journée.

La dernière chose dont j'ai envie, c'est de me brouiller avec ma copine.

— Je n'ai aucune idée de ce que ressent Honey, ce ne sont que des suppositions, je précise en prenant la main de Cherry pour entrer dans le lycée. Elle est comme ça : la plupart du temps, elle ne pense qu'à elle. Personne d'autre n'existe. C'est tout…

— Tu n'as pas tort. Désolée, Shay, je ne voulais pas t'agresser. Tu es sorti avec Honey pendant des mois ; c'est normal que tu t'inquiètes pour elle. Je comprends.

— Hé, je la rassure, tu n'as rien à craindre, crois-moi.

— Évidemment.

Elle me sourit.

— Je suis ridicule, hein ? Mais c'est parce que je tiens beaucoup à toi.

— Moi aussi, je suis désolé… Je ne suis pas de très bonne humeur en ce moment, tu as dû remarquer. On peut remercier mon père. En plus, je suis crevé : je me suis couché super tard, et j'ai tourné dans mon lit pendant des heures. Mais j'ai dû finir par m'assoupir, parce que je n'ai pas entendu le réveil ce matin. J'ai failli rater le bus. Ce n'est vraiment pas mon jour.

— Du coup, je parie que tu as sauté le petit déjeuner, me gronde Cherry. Tu devrais aller t'acheter un truc à la cafétéria, sinon tu vas être à plat. Je dois récupérer des affaires dans mon casier, tu veux bien me prendre une tablette de chocolat, s'il te plaît ? Je sens que je vais en avoir besoin.

Elle me tend quelques pièces avant de s'éloigner en direction des casiers. J'achète un milk-shake, une barre de céréales et le chocolat qu'elle m'a demandé. Cette journée ne peut que s'améliorer. J'ai eu ma dose de malchance pour un bout de temps.

Ou pas.

Alors que je me dépêche d'avaler mon milk-shake, Honey fait son entrée. Ses cheveux mi-longs sont savamment ébouriffés, sa jupe d'uniforme plus courte de quelques centimètres que celle des autres filles, son chemisier blanc rétréci juste ce qu'il faut à la machine. Elle ressemble à tout sauf à quelqu'un qui sort de chez le proviseur. Comme toujours, Honey suit ses propres règles. Elle paraît si à l'aise, si sûre d'elle que je suis prêt à parier que personne n'a osé lui faire de remarque sur sa tenue.

— Pfff, souffle-t-elle en se laissant tomber sur une chaise à côté de moi. Je déteste ce bahut. Grâce à maman, les profs ne vont plus me lâcher d'une semelle jusqu'à la fin du trimestre. On se croirait dans une prison.

Elle attrape la tablette de chocolat que je viens d'acheter et en mange la moitié.

— Hé ! je proteste. C'était pour Cherry !

— Achètes-en une autre, réplique-t-elle avec un haussement d'épaules. Au fait, merci de m'avoir écoutée hier soir. Personne d'autre n'aurait eu cette patience. Et surtout, personne d'autre n'aurait pu me convaincre de rentrer chez moi. Je ne sais pas si c'est une bonne ou une mauvaise chose…

— Une bonne.

— Peut-être. Enfin voilà, je voulais te remercier.

Sans prévenir, elle me prend dans ses bras. Toutes les têtes se tournent vers nous. Alors que j'essaie de me dégager de son étreinte, j'aperçois Cherry, à la porte, le visage figé.

J'ignore depuis combien de temps elle est là.

5

— Attends, Cherry... ce n'est pas ce que tu crois ! je m'écrie.

Honey s'écarte, l'air amusée.

— Oups ! Je ne t'avais pas vue, ma chère demi-sœur !

— C'est ça, murmure Cherry.

— J'étais en train de remercier Shay, déclare Honey. Il m'a sauvé la vie hier soir. Il m'a écoutée pendant des heures au cabanon, avant de me raccompagner à la maison.

Mon cœur dégringole dans ma poitrine. Je suis mal. Vraiment, vraiment mal.

— Cherry, je peux tout t'expliquer !

En réalité, je ne suis pas persuadé d'y arriver.

— Inutile, rétorque-t-elle. Je crois que j'ai compris.

Un groupe d'élèves s'est rassemblé autour de nous pour assister au spectacle. Ils se souviennent tous que je suis sorti avec Honey et ne tardent pas à tirer de fausses conclusions. Comme Cherry.

— Tu es en colère parce qu'il ne t'a pas rappelée ? reprend Honey d'un ton léger. Ce n'est pas sa faute.

Il voulait le faire, mais comme tu as téléphoné au milieu d'une discussion importante, je lui ai demandé de ne pas décrocher... Je te jure, je suis la seule responsable !

Je voudrais que le sol s'ouvre sous mes pieds et m'engloutisse.

Cherry ne jette même pas un regard à sa demi-sœur. Elle me fixe, et je lis de la déception, du dégoût dans ses yeux. Je m'en veux d'avoir provoqué de tels sentiments.

— Alors comme ça, tu n'avais plus de batterie ? dit-elle doucement. Bien joué, Shay. La prochaine fois, avoue simplement que tu n'as pas envie de me parler. Sauf qu'il n'y aura pas de prochaine fois.

Les autres élèves retiennent leur souffle. Je réprime mon envie de leur hurler de dégager. Ça n'arrangerait pas mon cas.

— Cherry, écoute...

— Il n'y a rien à ajouter. Pourquoi devrais-je t'écouter ? Tu n'es qu'un menteur et un tricheur !

Que répondre à ça ? Je suis forcé de plaider coupable. J'ai menti à ma copine et j'ai été pris la main dans le sac. Peu importe que j'aie menti pour de bonnes raisons, pour ne pas l'inquiéter, pour l'empêcher de se faire des idées. Le résultat est le même.

— Tu es dure, Cherry, commente Honey, visiblement ravie. Mais au moins, maintenant... tu sais ce que ça fait.

— Honey ! je la coupe. Ça n'a rien à voir, Cherry, je te jure. Laisse-moi juste...

— J'en ai assez entendu, conclut Cherry d'une voix fêlée. C'est fini, Shay. Je ne veux plus jamais te revoir !

Elle tourne les talons et s'éloigne sous les hourras solidaires de la foule.

— Gros naze, me lance une fille.

— Imbécile, renchérit une autre.

La sonnerie retentit, trop tard pour me sauver. Les élèves se dispersent enfin vers les quatre coins du bâtiment. Je me retrouve seul avec Honey dans la cafétéria vide.

— C'était... intéressant, lance-t-elle. Qui aurait cru que ta petite chérie était capable de se défendre comme ça ?

— Ce n'est plus ma chérie. Grâce à toi.

— Je ne pouvais pas deviner que tu lui avais menti à propos du téléphone ! Et je suppose que tu ne lui avais pas non plus parlé de notre tête-à-tête. Tu aurais dû te douter qu'elle finirait par être au courant.

Je la fusille du regard.

— Oui, j'aurais dû m'en douter. Tout comme j'aurais dû me douter que tu viendrais mettre ton grain de sel dans mon histoire. Merci, merci beaucoup.

Tandis que je ramasse mon sac pour partir en cours, Honey hausse les épaules et mange un nouveau carré de chocolat avant de s'essuyer la bouche, un grand sourire aux lèvres.

C'est officiel : c'est la pire journée de ma vie. Mes copains Luke et Chris me disent que je suis dingue de flirter avec Honey ; j'ai beau leur expliquer qu'il ne s'est rien passé, ils se contentent de ricaner. D'après eux, Cherry est beaucoup trop bien pour moi. Skye et Summer, les jumelles, me tendent une embuscade dans le couloir à l'heure du déjeuner. Elles exigent de savoir ce qui a mis Cherry dans un tel état.

— Qu'est-ce que tu lui as fait ? s'écrie Skye, furieuse. Chaque fois que je lui pose la question, elle fond en larmes ! Il paraît que tu aurais embrassé Honey à la cantine ? Je te préviens : si c'est vrai, je t'étrangle.

— C'est faux.

— Tu n'es plus le bienvenu chez nous, m'informe Summer. Tu as trompé Honey l'été dernier avant de la plaquer pour Cherry – et maintenant, tu fais le contraire ! C'est quoi, ton problème, Shay ? Ça te plaît, de blesser les autres ?

— Je n'ai pas... quoi ? Bien sûr que non !

Les jumelles me plantent là sans un mot de plus.

La journée s'écoule péniblement. Je rate un contrôle de maths, renverse de l'encre sur un croquis en cours de dessin et casse une corde de guitare en musique. Les ragots sur mon prétendu contrat chez Wrecked Records ont cédé la place à une version déformée de l'incident de la cantine. Apparemment, j'aurais pris la grosse tête et Cherry ne me suffirait plus.

Ça me rend malade.

Je voudrais parler à Cherry, mais ses amies forment une sorte de mur protecteur autour d'elle, m'empêchant de l'approcher. J'essaie les textos, jusqu'à ce que sa copine Kira m'informe que Cherry a effacé tous mes messages et bloqué mon numéro.

— Laisse tomber, conclut Kira. Tu ne crois pas que tu as fait assez de mal comme ça ?

— C'est un malentendu, je plaide. Si je pouvais lui parler ne serait-ce qu'une minute...

— C'est fini. Mets-toi ça dans la tête.

Enfin, les cours se terminent. Il ne me reste plus qu'à endurer le trajet du retour. Cherry ne m'a pas gardé de place dans le bus. Ses amies me lancent des regards assassins pendant que je cherche où m'asseoir. Luke et Chris habitent à côté du lycée ; je ne peux donc pas compter sur eux. Summer, Skye et leurs amis m'ignorent ; quant à Tommy, qui a traîné avec nous tout l'été et sort depuis peu avec Summer, il hausse les épaules en marmonnant une vague excuse.

— Il y a de la place ici, Shay, lance Honey depuis le fond du bus.

Tout le monde se retourne pour observer ma réaction. Si j'accepte, ils vont me lyncher.

Je finis par m'installer à côté d'Anthony, un intello super doué en maths et en informatique. Ses cheveux gras sont coupés au bol, comme ceux d'un gamin, et son pantalon lui arrive aux chevilles. Anthony ne prête pas attention à ce genre de choses. Par contre, il a très bien remarqué ce qui m'arrivait.

— Il paraît que tu as tout gâché avec Cherry, ricane-t-il. Dommage pour toi.

— C'est un quiproquo, je réplique. Crois-moi, ce sera réglé d'ici demain.

— Comment tu comptes t'y prendre ? Elle ne veut plus entendre parler de toi.

— Je vais lui envoyer un e-mail. Ou chatter avec elle.

— Ça m'étonnerait. Cet après-midi, elle m'a demandé de bloquer ton adresse.

— Mais je n'ai rien fait de mal !

Anthony sourit.

— Si je voulais, je pourrais te montrer un moyen de contourner son interdiction... mais ça te coûterait de l'argent. Et ça ne veut pas dire qu'elle lirait tes messages. C'est bête, hein ?

— Merci pour ton soutien. Les rumeurs sont fausses. Honey et moi ne faisions que discuter. C'était une conversation innocente, comme quand vous révisiez les maths ensemble l'année dernière...

Il hausse les épaules.

— Je la connais mieux que tu ne crois. On est très proches. Je n'ai pas cru une seconde à ces ragots, je sais qu'il ne s'est rien passé entre vous. Le problème, c'est que Cherry est convaincue du contraire. De toute façon, Honey ne voudrait pas de toi. Elle te trouve superficiel...

— Moi, superficiel ? C'est la meilleure de l'année ! Alors que tout ça, c'est sa faute !

— Ah oui ? Tu es sûr ?

Je me tourne vers la fenêtre et ne lui adresse plus la parole. Tant que je reste en colère, je ne m'apitoie pas sur mon sort et je parviens à refouler les larmes de honte qui me brûlent les yeux. Il est hors de question que je me mette à pleurer devant tout le monde.

6

J'ai arrêté de pleurer le jour de mon accident de kart. Dans ma famille, les larmes ne suscitent que des commentaires cassants de la part de mon père, des sourires moqueurs de Ben et des regards apitoyés de ma mère. Alors je préfère cacher ma peine et faire comme si tout allait bien.

Cherry fonctionne de la même façon que moi. Elle a perdu sa mère quand elle était petite et a subi beaucoup de moqueries à l'école. Avant de nous rencontrer, nous n'avions jamais osé être nous-mêmes. Ensemble, nous avons appris la confiance.

Et je viens de tout détruire.

Les jours s'écoulent au ralenti. Le matin, je me rends désormais au lycée à vélo. C'est dur, mais moins pénible que le bus. Au bout d'un ou deux jours, je commence à apprécier l'air frais sur mon visage, la brume matinale et les petites routes que je parcours à grands coups de pédales.

Mais dès que j'arrive en cours, c'est la douche froide. Cherry se comporte comme si je n'existais pas.

J'espérais qu'elle finirait par se calmer, qu'elle écouterait ma version de ce qui s'est passé. Au lieu de ça, elle m'a rayé de sa vie.

Pourquoi est-elle si dure ? Je sais que j'ai eu tort, mais je mérite quand même une seconde chance, non ?

— Peut-être qu'elle commençait à se lasser de toi ? se demande mon ami Luke, essayant de me remonter le moral. Si elle avait déjà l'intention de te plaquer, tu lui as fourni un bon prétexte.

— Merci, mon pote. Je me sens drôlement mieux.

— Je disais ça comme ça...

Je déteste cette idée, mais il a peut-être raison.

Le soir, j'écoute Ben raconter ses exploits, donne des cours de kayak au centre nautique, passe la serpillière dans les douches ou nettoie le bureau, puis je me réfugie dans le cabanon pour jouer de la guitare pendant des heures. Quelles que soient mes occupations, tout me paraît gris et vain sans Cherry.

Seul le sommeil me permet d'oublier. Je rêve de clair de lune, d'étoiles et des moments passés avec elle sur les marches de la roulotte l'été dernier, quand nous nous sommes rencontrés. L'air est tiède, des guirlandes lumineuses brillent dans les arbres et nous discutons en riant, main dans la main. Nous sommes pleins de projets, pleins d'espoir ; tout est possible.

Au réveil, la dure réalité me rattrape.

Le mardi cède la place au mercredi, puis au jeudi. Cherry refuse toujours de poser les yeux sur moi.

Que faire, alors que je me sens si mal que je n'ai même pas la force de me lever le matin ? Que mes rêves de gloire sont tombés à l'eau, m'emportant dans leur chute ? Que je suis méprisé par mon père, pris pour un fou par mes amis et privé de la seule fille à laquelle je tiens, parce que j'ai voulu en empêcher une autre de partir pour Londres ?

Je ne vois qu'une chose à faire : écrire une chanson.

Soir après soir, je joue de la guitare face à l'océan. Les mots que je n'ai pas pu prononcer pendant la journée finissent par s'envoler dans le noir, se mêlant à la musique et transcendant la tristesse qui m'habite.

Le morceau s'appelle *Cœur salé,* et c'est sans doute le plus beau que j'aie jamais composé. Dommage que Cherry ne puisse pas l'entendre. Elle comprendrait à quel point je suis désolé.

Si j'en avais le courage, je prendrais ma guitare, j'irais à Tanglewood et je jouerais sous ses fenêtres. Le problème, c'est que sa chambre se trouve sous les combles : elle ne m'entendrait même pas. Et avec la chance que j'ai, Summer et Skye me balanceraient un seau d'eau sur la tête – ou de l'huile bouillante, qui sait.

Alors, assis sur un rocher au bord de l'eau, je me mets à chanter :

Le cri d'une mouette résonne dans le matin blafard.
Les rayons du soleil n'atteignent pas mon lit...
J'entends ta voix au loin, je devine ton regard,
Je te sens qui approches, et un moment, j'oublie.
J'oublie que tes yeux se sont détournés de moi
J'oublie que soudain, tu m'as chassé de ton cœur ;
La nuit dernière, j'ai rêvé de cerisiers en fleur,
Il me reste sur les lèvres un goût amer et froid...

Quand les dernières notes du refrain s'éteignent, quelqu'un applaudit derrière moi. Je me retourne d'un bond. Une silhouette se tient au pied de la falaise. Plein d'espoir, je laisse tomber ma guitare.

— Cherry ?

C'est Honey qui sort de l'ombre. Mon cœur se serre.

— Désolée de te décevoir, Shay. À une époque, tu aurais été content de me voir.

— Hum. Qu'est-ce que tu fais là ?

— La plage est à tout le monde, non ?

Je me renfrogne.

— Tu ne crois pas que tu as causé assez de problèmes comme ça ?

— Moi ? s'étonne-t-elle, l'air innocent. Shay, c'est toi qui as menti à Cherry !

— Mais toi, tu as mis de l'huile sur le feu. Et ça t'a amusée.

— Peut-être, admet-elle. Enfin, Cherry n'a eu que ce qu'elle méritait. Elle m'a fait la même chose, je te rappelle.

— Ça n'a rien à voir. Ce qui s'est passé l'été dernier était ma faute, pas la sienne. Tu ne nous l'as jamais pardonné. D'ailleurs, ça ne m'étonnerait pas que tu aies tout manigancé pour nous pousser à rompre !

— Ben voyons !

Les yeux de Honey lancent des éclairs.

— Arrête de te prendre pour le centre du monde, Shay. Il y a belle lurette que j'ai tourné la page. Lundi, j'avais d'autres choses en tête que ta petite copine et sa susceptibilité !

Je m'assieds en soupirant. Elle n'a pas tort.

— Excuse-moi, Honey.

— Je le reconnais, j'ai apprécié le spectacle. Je ne pensais pas que tu étais capable de t'enfoncer à ce point. Quant à Cherry, elle est aussi stupide et entêtée que toi. Elle n'arrête pas de pleurnicher et d'errer dans la maison comme une âme en peine. Aucun de vous deux ne veut ravaler sa fierté ni faire le premier pas. C'est ridicule.

— C'est vrai, elle pleure ? Je lui manque ?

— Encore une fois, elle n'est pas très maligne. Mais tu l'as vraiment blessée... Skye, Summer et Coco lui conseillent de s'accrocher, de ne pas céder. Et elles me font toutes la tête !

— Mais il ne s'est rien passé, je proteste. Rien de mal, en tout cas !

— Ce n'est pas à moi qu'il faut le dire. Je suis déjà au courant.

— Elle ignore mes appels et mes messages. Je suis fichu.

— Ce n'est peut-être pas une si grande perte...

Honey se penche vers moi. Sa main caresse ma joue, effleure mes lèvres et descend doucement se poser sur ma clavicule. Je ferme les yeux, le souffle court. Je ne me suis jamais senti aussi perdu ni aussi seul de ma vie. J'ai tellement envie que quelqu'un me prenne dans ses bras.

Mais pas Honey.

Je m'écarte brusquement. Elle éclate de rire et m'enfonce mon bonnet sur les yeux.

— Bah, tu ne peux pas m'en vouloir d'essayer, lance-t-elle avant de s'asseoir à une distance raisonnable. Cherry doit vraiment te manquer, sinon, je ne vois pas comment tu pourrais me résister. Tu devrais lui parler, Shay. Laisse tomber les e-mails et les textos. Sois plus direct. Écris-lui en lettres d'un mètre de haut sur la palissade du terrain de sport, je ne sais pas... fais quelque chose !

— J'ai composé une chanson pour elle...

— Celle que tu jouais tout à l'heure ? Elle est chouette. Un peu triste, mais chouette. Tu devrais la mettre en ligne et lui envoyer le lien. Lui déclarer ton amour aux yeux de tous. Je suis sûre que ça la fera craquer !

— Tu crois ?

— Oui. Rejoue-la, je vais te filmer. Je te transférerai la vidéo. Tu en feras ce que tu voudras.

Elle grimpe sur un rocher, son portable à la main, pendant que je récupère ma guitare et gratte quelques accords. Dès les premières notes, j'oublie Honey et la caméra. Je mets tout ce que j'ai dans ma musique : mon cœur, mon âme et mes sentiments pour Cherry.

Enfin, la chanson se termine et je reviens à la réalité. Je regarde Honey, son téléphone, la plage vide et les dernières lueurs du soleil à l'horizon. Rien n'a changé. Ma vie est toujours un champ de ruines, ma petite amie me déteste et, pour la deuxième fois de la semaine, je passe la soirée avec mon ex. Très mauvaise idée.

Honey se redresse.

— Je ne suis pas aussi méchante que tu le crois, murmure-t-elle. J'ai essayé d'expliquer à Cherry qu'il ne s'était rien passé entre nous. Je lui ai juré qu'elle n'avait rien à craindre, mais elle ne m'a pas écoutée. Pourquoi personne ne m'écoute jamais ?

J'ai bien une réponse, mais je préfère la garder pour moi. Malgré tous ses défauts, Honey a aussi de bons côtés. La preuve : elle veut m'aider à réparer le désastre dont elle est en partie responsable.

— Je vais télécharger le film sur mon ordi et je te l'enverrai par e-mail, promet-elle. J'espère que vous pourrez recoller les morceaux. Sincèrement. Et j'espère aussi que ton père va subir une greffe de cerveau et se rendre compte qu'il n'a pas un, mais deux fils très doués. Ça craint qu'il ait refusé le contrat de Wrecked Records.

— Oui. Merci pour ton aide.

Elle s'arrête, les cheveux au vent.

— Tu l'aimes vraiment, Cherry, hein ? C'est mignon. Ne gâche pas tout.

Elle se détourne, mais je jurerais avoir aperçu des larmes dans ses yeux.

7

Le vendredi matin, je me réveille en retard. Alors que je me dépêche de m'habiller, mon portable sonne : Finn.

— Salut, je réponds. Alors, comment ça va dans la capitale ?

— C'est plutôt calme comparé aux drames qui se déroulent chez vous. J'ai eu Skye au téléphone hier soir. Je n'aurais jamais cru que tu étais du genre infidèle. À quoi tu joues, Shay ?

Je soupire. Comment ai-je pu oublier que Finn sortait avec Skye ? Ils ont passé l'été collés l'un à l'autre. J'espère que je ne vais pas perdre un ami.

— Ce n'est pas ce qui s'est passé, je me défends. Je te jure.

— Alors explique-moi.

Je lui raconte toute l'histoire : Honey qui voulait fuguer, Cherry qui a appelé au mauvais moment, mes tentatives pour aider mon ex et la catastrophe qui a suivi.

Je lui parle de l'instant horrible où Cherry m'a surpris dans les bras de sa demi-sœur à la cafétéria – et en a tiré des conclusions trop rapides –, des rumeurs et de ma nouvelle réputation de menteur et de traître.

— C'était vraiment un geste innocent ? s'enquiert Finn. Mon pauvre, tu t'es mis dans de beaux draps. Tu as intérêt à t'expliquer rapidement, parce que pour le moment tu n'es pas très bien vu dans la famille Tanberry-Costello.

— Ne m'en parle pas. Tout le monde me déteste. C'est l'horreur.

— Il faut que je te laisse. Je dois aller en cours, puis donner un coup de main au studio. Ils sont en train de tourner les dernières scènes du film. Bonne chance avec Cherry !

— Je vais en avoir besoin !

Le temps de raccrocher, il est trop tard pour que je me rende au lycée à vélo. Je vais devoir affronter le bus scolaire. Si je survis à cette épreuve, je prendrai mon courage à deux mains et j'irai voir Cherry. Finn a raison – plus j'attendrai, pire ce sera. Alors je vais mettre ma fierté de côté et lui raconter tout ce qui s'est passé.

Je me sers un verre de smoothie dans la cuisine où maman, papa et Ben sont en train de déjeuner. Mon père trie le courrier ; il tend une longue enveloppe blanche à Ben.

— Université de Sheffield, commente-t-il en regardant l'adresse de l'expéditeur. Qu'est-ce qu'ils te veulent, ceux-là ? Tu es allé à la fac de Birmingham !

Mon frère ouvre l'enveloppe, parcourt la lettre, puis la range avec un sourire.

— C'est une erreur, non ? insiste papa. Jette ça, on s'en fiche.

— Non, ce n'est pas une erreur.

— Ah bon ?

— Il y a un troisième cycle très intéressant à Sheffield. Il me permettrait de compléter mon diplôme et de devenir prof.

Mon père le regarde, sa fourchette de bacon suspendue dans les airs.

— Pour quoi faire ?

— J'ai envie d'enseigner. J'ai toujours aimé donner des cours aux gamins du centre nautique, et ça m'a poussé à réfléchir sur ce que je voulais faire de ma vie.

Maman se lève et vide son assiette dans la poubelle. Je croise son regard inquiet. Je ne lui en veux pas ; je ressens la même chose qu'elle.

— Tu sais déjà ce que tu vas faire de ta vie, poursuit mon père. Tu vas travailler avec moi au centre nautique. Et plus tard, tu prendras ma suite. C'est réglé.

— Pas pour moi. Je n'ai jamais dit que j'étais d'accord, papa. J'ai tenté de t'en parler des millions de fois. Tu n'as jamais voulu m'écouter.

— Bien sûr que non, puisque ce sont des bêtises. Tu n'as pas besoin de continuer tes études. Prof, c'est un métier minable. Tu te vois courir derrière des petits morveux ? J'ai besoin de toi ici. Je peux te donner plus de responsabilités, si tu veux, prendre en compte tes suggestions. Dans un an ou deux, tu deviendras gérant.

— Non. Je te donne un coup de main, mais c'est temporaire. Je veux enseigner, et cette formation est une des meilleures du pays.

Mon père a l'air estomaqué – il a tellement l'habitude que Ben lui obéisse. D'ailleurs, nous sommes tous surpris.

— Très bien, grogne-t-il. On en reparlera plus tard. Il n'y a pas beaucoup de jeunes de ton âge qui se voient proposer un poste de gérant au sein de l'entreprise familiale. J'admire ton désir d'indépendance, mais c'est la crise, fiston. Un travail est un gage de sécurité pour l'avenir…

— Papa, l'interrompt Ben. Je suis désolé. Je vais m'inscrire à Sheffield. Ma décision est prise.

— Pas cette année, quand même ? Il est trop tard pour postuler maintenant. Les cours vont commencer d'ici une semaine ou deux.

— J'ai envoyé ma candidature en janvier. Ils m'ont proposé une place, que j'ai acceptée tout de suite. J'attendais le bon moment pour te l'annoncer…

Maman pose la théière entre eux et leur propose un thé pour détendre l'atmosphère. Mais papa donne un grand coup de poing sur la table, faisant tinter les assiettes.

— NON ! rugit-il d'une voix assourdissante. Non, Ben, c'est hors de question. Tu vas le regretter, et je refuse que tu gâches ta vie !

— Papa, c'est *ma* vie, justement. Je ne suis plus un enfant. J'ai vingt et un ans. J'y ai longuement réfléchi, et c'est ce que je veux. Désolé, mais j'irai là-bas, que ça te plaise ou non.

— Il faudra me passer sur le corps ! s'époumone mon père.

Il balaye la nappe d'un revers de bras, envoyant valser tasses et assiettes.

— File, Shay, me souffle maman en me tendant mon sac. Toi aussi, Ben. Laissez-lui le temps de se calmer…

Elle n'a pas besoin de me le répéter : je me précipite hors de la maison, ma guitare à la main. J'étais déjà en retard, et la scène à laquelle je viens d'assister n'a rien arrangé. Il va falloir que je pique un sprint si je ne veux pas rater le bus. Alors que je me mets à courir, j'entends la porte claquer derrière moi.

— Attends, petit frère ! crie Ben. Je vais te déposer. Allez… ta compagnie sera la bienvenue !

— OK, merci !

Le visage de Ben est dur, fermé. Il ne prononce pas un mot jusqu'à ce que nous nous soyons installés dans sa voiture et éloignés de la maison. Puis il ouvre le toit et glisse un CD des Beach Boys dans le lecteur, volume à fond. Nous roulons pendant dix minutes, assourdis par les chansons joyeuses de son groupe de surfeurs préféré. Au bout d'un moment, il baisse le son.

— Je vais y aller, à Sheffield, tu sais, déclare-t-il. J'en ai ras le bol qu'il décide de ma vie à ma place et contrôle le moindre de mes gestes. Quand j'avais ton âge, je ne savais pas comment réagir. Mais j'ai grandi. Je sais ce que je veux, et ce n'est pas ça.

— Papa va se calmer, je le rassure. Ça a dû lui faire un choc – déjà que moi, je suis tombé des nues !

— Ouais. Désolé. J'aurais dû t'en parler. Maman me l'avait conseillé...

— Maman était au courant ?

— Bien sûr. Elle me soutient à cent pour cent. J'ai essayé d'annoncer la nouvelle à papa des dizaines de fois, mais il ne m'écoute pas – il ferme les écoutilles et change de sujet. Maman devait le préparer en douceur... maintenant, c'est trop tard.

— Ça alors !

Je n'en reviens pas.

— J'ai toujours cru que tu étais d'accord pour reprendre le centre nautique, je lui confie. Enfin, je sais bien qu'avant de te blesser tu voulais devenir footballeur. Mais j'étais persuadé que ce travail te plaisait. Je ne me serais jamais douté du contraire !

— Le foot, c'était la passion de papa, pas la mienne. Comme j'aimais bien ça et que je ne me débrouillais pas trop mal, il m'a poussé à continuer... jusqu'à ce que je sois viré de l'équipe de Southampton. C'est à partir de là que les choses ont mal tourné.

— Oui, à cause de l'accident. Tu as dû avoir l'impression que le monde s'écroulait.

Ben éclate de rire.

— Shay... il n'y a jamais eu d'accident. Ni de blessure. Southampton m'a renvoyé parce que je n'étais pas assez doué.

Je ne comprends pas tout de suite.

— Mais tu as dit...

— Non, *papa* a dit. Il a raconté que je m'étais blessé, parce qu'il ne supportait pas la vérité... à savoir que j'avais échoué. Il avait honte de moi, Shay. Je l'ai déçu.

— Sérieux ? Pourtant, tu as toujours été son petit trésor ! Son chouchou ! Il est si fier de toi...

— C'est aussi ce que je pensais. Mais en réalité, il était fier de moi tant que j'excellais dans les domaines qu'il avait choisis. Dès que le vent a tourné, il a menti pour sauver la face. À ton avis, qu'est-ce que j'ai ressenti ?

Je le devine très bien : l'impression d'être un raté, un second choix. Bizarrement, je ne suis même pas soulagé d'apprendre que mon grand frère n'est pas aussi parfait que je le croyais. Je suis désolé pour lui, et content qu'il ait décidé de quitter Kitnor pour suivre sa propre voie.

Soudain, je me rends compte qu'il a dépassé le carrefour qui mène à Minehead.

— Hé, tu as oublié de tourner ! je le préviens. Il faut que tu prennes la prochaine à gauche, sinon je vais être en retard !

— Tu ne vas pas en cours aujourd'hui. Le lycée attendra. Papa a failli ruiner ma vie – je ne vais pas le laisser recommencer avec toi. Parfois, il faut savoir saisir sa chance et sauter sur les occasions qui se présentent.

— Hein ?

— Prends ton destin en main. Regarde vers l'avenir.

— Ben, de quoi tu parles ?

— De Wrecked Records. On va à Londres !

8

Comme kidnapping, il y a pire. La matinée se transforme en *road trip* sur fond de confidences fraternelles. Nous nous arrêtons à une station-service pour acheter des chips et du soda. Ben et moi n'avions jamais autant discuté – jusqu'ici, on se contentait d'échanger quelques phrases ou des plaisanteries de temps en temps.

Nous ne sommes pas proches. C'est peut-être la faute de notre père, et à cause de la différence d'âge. Maintenant que je commence à connaître mon grand frère, je me rends compte qu'il me ressemble beaucoup plus que je pensais. À une ou deux reprises pendant le trajet, j'envisage de lui parler de Cherry, mais je ne vois pas comment m'y prendre. Et si j'apprécie le soutien de Ben, je ne veux pas de sa pitié.

Je n'ai pas besoin qu'on m'explique une fois de plus à quel point j'ai été nul. Je le sais déjà.

— Papa était dingue de foot, autrefois, me rappelle-t-il. Il jouait en amateur, le dimanche. C'est pour ça qu'il a tant insisté pour que je continue. Il croyait m'encourager, mais il ne faisait que courir après son propre rêve.

— Comme pour le centre nautique. Et toi, tu as osé lui dire non. Tu as eu du cran. On sait tous les deux qu'il perd facilement son sang-froid.

— On aurait dû se révolter depuis longtemps, soupire Ben. Au fait, je voulais que tu saches… je suis désolé pour l'histoire du mini-kart. Je ne m'attendais pas à ce que tu te lances, et encore moins à ce que tu te casses le bras…

J'éclate de rire.

En arrivant dans la banlieue de Londres, je sors les formulaires tachés et froissés de mon sac, où je les ai cachés il y a plusieurs jours. Ben peut-il vraiment les signer à la place de papa, et rouvrir la porte à un monde de possibilités ? Je l'espère.

Je joue les copilotes à l'aide d'un vieil atlas corné et du smartphone de mon frère. Nous nous perdons une bonne dizaine de fois avant de nous garer sur le parking de Wrecked Records, dans le quartier de Camden.

En entrant dans la maison de disques, j'ai l'impression de me retrouver dans un rêve – un rêve sombre, stressant et un peu psychédélique. Les murs sont tapissés de papier peint argenté et d'un pêle-mêle de pochettes mythiques remontant sur plusieurs décennies. Un immense mobile miroitant composé de CD oscille sans bruit dans la cage d'escalier, et des disques d'or encadrés sont accrochés dans le couloir. Même les canapés de la salle d'attente ont l'air de sortir d'un vaisseau spatial.

La fille de l'accueil a les cheveux rose fuchsia et un piercing dans le nez. On dirait qu'elle a taillé sa tenue dans une nappe à carreaux et un rideau de dentelle. Elle me jette un regard las, visiblement peu convaincue par mon uniforme de lycéen et mon bonnet. Je rougis.

Je pose les formulaires froissés sur son bureau.

— Nous aimerions voir Curtis Rawlins, s'il vous plaît.

— Ah oui ? Tu as rendez-vous ?

— Non, mais...

— Il t'en faut un. On ne fait pas d'exception. Tu n'as qu'à nous envoyer une petite démo sur CD. Tu pourras nous rappeler dans quelques semaines, et si Curtis et son équipe estiment que tu as du potentiel, on fixera une date en novembre. Ou décembre. Ou janvier.

Ou jamais.

Abattu, je regarde mon frère, qui me décoche une grimace amusée.

— Pas de panique, souffle-t-il. Je m'en occupe. Admire le travail...

Il se penche sur le bureau avec un sourire charmeur. Ses mèches blondes décolorées par le soleil balaient son visage bronzé et ses yeux d'un bleu profond. Malheureusement, je ne suis pas convaincu que le style surfeur soit du goût de la réceptionniste. Elle serait sans doute plus impressionnée par des tatouages, des piercings et une crête bleue.

— Salut, lance Ben. Le truc, c'est qu'on a fait quatre heures de route parce que Curtis voulait nous voir. « Passez quand vous voulez », il a dit. C'est pour ça qu'on est là. Je sais qu'il y a des règles, mais il faut qu'on lui parle maintenant, pas dans une semaine, un mois ou un an...

Je prends conscience de l'accent du Sud de mon frère. Sa tentative de séduction est un échec. On aurait aussi bien pu venir en salopette, bottes de caoutchouc et chapeau de paille – pour cette fille, on est des vrais ploucs.

— Oh, allez, insiste Ben. Sois cool. On a déjà les formulaires. Tu peux nous arranger le coup. Je t'en serai reconnaissant – très reconnaissant ! Je te paierai un verre après le boulot, si ça te tente...

— Non, merci.

— Curtis sera d'accord, je t'assure. Il a déjà proposé un contrat à mon petit frère. Shay va être le prochain succès de l'année !

— Ils disent tous ça, répond la réceptionniste en baissant les yeux sur son écran d'ordinateur.

— Je suis sérieux. Curtis est venu jusqu'à Kitnor pour le rencontrer. Il a écouté sa démo et l'a vu jouer en live. Il voulait qu'il signe chez vous, mais il y a eu un quiproquo à cause de circonstances indépendantes de notre volonté. On est ici pour y remédier, alors si tu pouvais nous laisser voir Curtis…

— Impossible, soupire la fille en bâillant. Il est sorti. Je ne sais pas quand il va rentrer.

Je perds espoir. Les efforts de Ben sont vains. On a fait tout ce chemin pour rien. Le seul point positif, c'est que j'ai raté les cours et que je n'ai pas eu à supporter les regards noirs de mes camarades.

Alors que nous franchissons les portes vitrées pour repartir, un miracle se produit. Un homme en costume cintré et chapeau de feutre rouge vient à notre rencontre. Dès qu'il me voit, son visage s'illumine.

— Shay Fletcher ! Quelle bonne surprise ! Entrez !

Il nous suit dans le hall et la fille aux cheveux fuchsia lève les yeux de son ordinateur, surprise.

Je présente mon frère à Curtis et nous prenons place sur les canapés de science-fiction pendant qu'il nous apporte des cappuccinos saupoudrés de vermicelles en chocolat et une assiette de biscuits.

— Alors, me demande-t-il. Qu'est-ce qui t'amène à Londres ? Ton père a changé d'avis ?

— Pas exactement…

— Mais notre mère est partante, intervient Ben.

Je n'étais pas au courant.

— C'est aussi sa responsable légale, non ? Quant à moi, je peux me charger de garder un œil sur Shay.

Il voudrait accepter votre offre et signer avec vous, pas vrai, petit frère ?

— Euh… oui… j'adorerais.

Curtis sourit.

— C'est génial, Shay. Donc ta mère serait prête à signer les formulaires à la place de ton père ?

— Tout à fait, répond Ben. Enfin, sûrement. Je crois…

— Non, je le coupe. Ça m'étonnerait.

L'expression de Curtis veut tout dire. Nous perdons notre temps, et le sien. Pourquoi ne l'ai-je pas compris plus tôt ?

— Écoutez, reprend Ben d'un ton ferme. J'ai vingt et un ans ; je peux m'occuper de Shay, veiller sur lui, signer ce qu'il y a à signer… tout ce que vous voudrez. Mon père ne comprend rien et ma mère n'ira pas contre sa volonté, même si ce n'est pas l'envie qui lui manque… mais je peux les remplacer, non ? Une chance pareille, ça n'arrive pas deux fois. Je veux que Shay la saisisse !

Je n'ai jamais autant aimé mon frère. Malheureusement, Curtis soupire : la proposition de Ben ne change rien au problème.

— Tu n'es pas le tuteur légal de Shay, explique-t-il. Il nous faut l'accord de ses parents.

— Il a du talent, insiste Ben, vous l'avez dit vous-même… Vous ne pouvez pas prendre un risque, contourner exceptionnellement les règles ? Shay adore la musique. Il ne vous décevra pas !

— Je ferai tout ce qu'il faut, je promets. J'ai une nouvelle chanson, elle est super. Vous voulez l'entendre ?

Curtis hoche la tête.

— Bien sûr, mais ne te fais pas d'illusions. Si ton âge ne jouait pas contre nous, rien ne me ferait plus plaisir que de t'engager. J'en ai discuté avec mes collègues. Ton père n'a pas de simples réticences : il s'est montré carrément hostile au projet. Même si ta mère te soutenait à cent pour cent, j'aurais des craintes quant à la suite des événements. Lorsque nous travaillons avec des mineurs, nous avons besoin du soutien inconditionnel de leur famille. Dans ton cas, nous ne pouvons compter que sur l'enthousiasme de ton frère, et ce n'est pas suffisant.

— Alors... vous voulez dire que... commence Ben.

— Je veux dire que malgré mon envie de te voir signer chez Wrecked Records, Shay, pour le moment c'est impossible. Continue à chanter et à composer. Et reviens me voir quand tu auras dix-huit ans.

Ben et moi lui serrons la main, puis nous quittons le bâtiment, tête basse. J'ai les jambes en coton. D'abord Cherry, puis ça... si ça continue, je vais m'effondrer.

— Désolé, marmonne Ben. Ça ne s'est pas passé comme je l'espérais.

— C'est moi qui suis désolé. Je t'ai fait perdre ton temps... Tous ces efforts, pour rien !

— Ce n'était pas pour rien. Ça m'a permis de profiter de mon petit frère. Je me suis amusé. Et au moins, maintenant, on sait à quoi s'en tenir. Tu as un but à atteindre, une nouvelle motivation.

— Peut-être.

— Mais si ! On a tenté notre chance, c'est ça qui compte. Quand on veut désespérément quelque chose, il faut tout faire pour l'obtenir. Ne jamais rester dans son coin en s'avouant vaincu. OK, cette fois, ça n'a pas marché, mais si tu continues à y croire, un jour ou l'autre, ça portera ses fruits. Garde confiance. On a tout essayé. Pas de regrets !

Je médite ce conseil. Ben parle du contrat avec la maison de disques, bien sûr.

Mais moi, c'est à une fille aux cheveux d'un noir de jais, aux yeux en amande, aux longs cils et au sourire très doux que je pense. Cherry est ma meilleure amie, mon amoureuse, ma confidente. Sans elle, ma vie est terne et vide. Sans elle, mon cœur est en morceaux.

Je repense à ma conversation avec Honey hier soir, et au coup de téléphone de Finn ce matin.

J'ai gâché la plus belle histoire que j'aie jamais eue. Fini les excuses ; je dois réparer mes bêtises avant qu'il ne soit trop tard. Puisque nous sommes à Londres, pourquoi ne pas en profiter pour aller chercher un peu de réconfort auprès de Finn avant d'affronter Cherry ? Au moment d'envoyer un message à mon ami, je m'aperçois que je n'ai plus de batterie. Je vais devoir me débrouiller seul.

Qu'a dit Ben, déjà ? « Quand on veut désespérément quelque chose, il faut tout faire pour l'obtenir. »

Ben et moi nous promenons un peu dans le marché branché de Camden. Nous déambulons entre les stands avant d'aller manger des falafels, assis au soleil au bord du canal. Dire que Honey imaginait s'installer ici pour vendre ses créations... Je soupire. Ben nous achète des tee-shirts, et je craque pour une chaîne en argent ornée d'un pendentif en forme de cerises. J'espère pouvoir l'offrir à Cherry. Puis nous nous choisissons des lunettes de soleil et reprenons la route, cheveux au vent, tandis que les Beach Boys s'époumonent.

Quand nous arrivons à la maison, il est minuit.

Papa apparaît dans l'embrasure de la porte à la seconde où Ben se gare dans l'allée. Il écume de rage. Mes épaules se courbent.

Aujourd'hui, j'ai découvert à quel point mon frère était cool. J'ai renoncé à devenir le nouveau phénomène pour ados de Wrecked Records. Et j'ai pris conscience qu'il faut se battre pour ce qui nous tient à cœur, et qu'avec un peu de volonté on peut faire bouger les choses.

C'était une journée pas comme les autres ; et pourtant, maintenant que je suis de retour chez moi, il semble que rien n'ait changé. Papa déverse sa colère sur nous. Il est outré que nous ayons osé filer comme ça, en le laissant seul au centre nautique. Selon lui, tout le monde était malade d'inquiétude.

Tu parles.

Alors que je me dirige vers la maison, je stoppe net au milieu du jardin. Pris d'une soudaine impulsion, je jette mon sac dans un massif de fleurs, passe ma guitare en bandoulière et tourne les talons, sans me soucier de mon père qui hurle dans le noir.

Pour une fois, ça ne me fait ni chaud ni froid.

Le village silencieux est un peu inquiétant à la lueur des lampadaires. J'emprunte le chemin qui mène à Tanglewood sous le ciel constellé d'étoiles. Mes yeux s'habituent vite à l'obscurité. J'ai peur. Peur que ça se passe mal, que Cherry refuse de me voir, que Paddy et Charlotte lâchent le chien sur moi ou appellent la police.

Tu ne peux pas rester dans ton coin et t'avouer vaincu. Tu dois faire tout ce qui est en ton pouvoir, je me répète.

De toute façon, la situation ne pourrait pas être pire.

Je pousse le portail et avance entre les arbres décorés de guirlandes lumineuses à énergie solaire, restées là depuis l'été. La maison est plongée dans l'obscurité, silencieuse, endormie. J'entends Fred aboyer à l'intérieur et Joyeux Noël, la brebis, bêler dans son étable.

Posté sous la fenêtre de Cherry, je ramasse une poignée de graviers et j'en jette un vers le haut. À mon grand soulagement, je l'entends tinter contre une vitre.

Une lumière s'allume, mais pas dans la bonne chambre : c'est celle de Skye et Summer. Génial.

Les jumelles ouvrent les rideaux, et Skye se penche à l'extérieur.

— Shay ? murmure-t-elle. Qu'est-ce que…

— Chut, je la coupe. S'il te plaît. Je sais ce que tu penses de moi, mais je t'en prie, laisse-moi parler à Cherry.

— Finn a appelé cet après-midi, m'informe-t-elle doucement. Il m'a tout expliqué. Honey nous avait donné la même version que toi, mais on ne l'avait pas crue.

— Alors tu n'es plus fâchée ? je demande, plein d'espoir.

Summer se faufile à côté de sa sœur.

— Évidemment, souffle-t-elle. On t'a envoyé des textos toute la journée… Cherry aussi !

— C'est vrai ? Je n'avais plus de batterie. Désolé !

— Non, c'est nous qui sommes désolées, répond Summer. On aurait dû te laisser une chance. Mais tu comprends, on aime beaucoup Cherry. C'est notre demi-sœur, et elle n'a pas eu une vie facile. Alors personne, absolument personne, n'a le droit de la faire souffrir.

— Je ne recommencerai pas. Jamais !

— C'est à elle qu'il faut le promettre ! déclare Skye en riant.

Je lance un deuxième gravier, plus haut cette fois. Il heurte le toit et retombe bruyamment sur les ardoises. Tout à coup, une lampe s'allume dans la petite tour et Honey apparaît à sa fenêtre.

— Il était temps, commente-t-elle. J'ai raté ton grand discours ?

— Non, je grogne. Fiche-moi la paix. Je n'ai pas besoin d'un public...

— Dommage, parce que maintenant que tu nous as réveillées, on a hâte de voir la suite.

Une autre lumière apparaît sur la droite, et la lucarne de Coco s'ouvre en grinçant.

— C'est toi, Shay ? s'enquiert-elle.

— Qui veux-tu que ce soit d'autre ? réplique Skye. Ce n'est pas comme s'il y avait beaucoup de garçons qui venaient traîner sous nos fenêtres la nuit !

— On ne sait jamais, avec vous ! réplique Coco. C'est trooop mignon ! Tu vas lui jouer la sérénade, Shay ? « Ô Roméo ! Roméo ! Pourquoi es-tu Roméo ? »

— Arrête, je proteste. Ce n'est pas drôle !

— Moi je trouve que si ! s'amuse Honey.

Coco s'installe sur le rebord de sa fenêtre, son violon à la main. Un air lugubre s'élève dans la nuit ; dans la cuisine, Fred se met à hurler à la mort. Le bon côté des choses c'est que, si mes graviers ne suffisent pas à réveiller Cherry, la « musique » s'en chargera. Aïe, mes pauvres oreilles...

Le rez-de-chaussée s'illumine, la porte de la cuisine s'entrouvre et je découvre Charlotte et Paddy sur le seuil, en pyjama.

— Bon sang, mais qu'est-ce que vous fabriquez ? s'énerve Paddy. C'est une fête au clair de lune ? Vous êtes en repérage pour un cambriolage ? Shay, c'est toi ?

— Attendez, je vais vous expliquer, je réponds, inquiet. Je voudrais juste parler à Cherry...

— Ce n'est pas trop tôt, lance Charlotte. J'espère que vous allez vous réconcilier, tous les deux. Je ne supporte plus ses larmes et son air désespéré.

— Alors, quelqu'un va la réveiller, ou quoi ? râle Honey. On ne va pas y passer la nuit !

Enfin, la lumière s'allume dans le grenier. Le velux se soulève et je vois se dessiner le visage de Cherry, encadré par des cheveux noirs tout emmêlés.

— Dis quelque chose, me conseille Coco en posant son violon. Elle attend !

Ils attendent tous. Je ne pensais pas devoir présenter mes excuses à l'ensemble de la famille.

Je me racle la gorge.

— Cherry ? Je... j'ai tout gâché, et j'ai énormément de choses à te dire, mais... ce n'est pas facile de trouver les mots. Alors... j'ai écrit une chanson. Pour toi.

Je prends une grande inspiration.

— Allez, Shay, m'encourage Honey. Lance-toi !

Alors j'essaie d'oublier que le père et la belle-mère de Cherry sont plantés devant moi, que son chien me renifle les pieds, que ses demi-sœurs nous regardent et que mon ex m'écoute. Les yeux rivés sur Cherry, je mets tout mon cœur et toute mon âme dans ma chanson.

Quand je m'arrête, il y a un silence, puis Cherry porte la main à sa bouche et disparaît dans sa chambre. Skye et Summer applaudissent, Coco siffle, et même Honey, Paddy et Charlotte se joignent au concert de louanges. Fred me lèche la main en balayant ma guitare bleue à grands coups de queue.

Enfin, Cherry sort de la maison. Ses sœurs referment leurs fenêtres et leurs lampes s'éteignent une à une comme les bougies d'un gâteau d'anniversaire.

— Ne rentre pas trop tard, recommande Paddy avant de s'éclipser avec Charlotte.

Cherry et moi nous retrouvons seuls, debout devant la porte de la cuisine, mal à l'aise et incapables de nous regarder.

— Je suis désolé, je commence.

— Non, c'est moi…

— J'ai été nul. Je n'aurais pas dû rejeter ton appel. Mais honnêtement, il ne se passait rien de mal…

— Je sais. Honey m'a juré la même chose. Et Skye m'a dit que tu t'étais confié à Finn.

— C'est à toi que j'aurais dû me confier. Je suis un imbécile.

— J'aurais dû te faire confiance… mais les apparences étaient contre toi, et j'étais tellement chamboulée que je ne voulais pas t'écouter… Je me sens tellement bête !

— Non, pas du tout…

Nous nous éloignons de la maison au cas où des demi-sœurs trop curieuses seraient en train de nous espionner. Nous descendons entre les arbres jusqu'à la roulotte de gitans – comme l'année dernière, quand nous ne sortions pas encore ensemble.

— Tu m'as écrit une chanson, s'émerveille Cherry. Elle est magnifique.

— C'est toi qui es magnifique. Le texte n'exprime même pas le quart de ce que je ressens. C'était horrible sans toi… je ne veux plus jamais te perdre. Quoi qu'il arrive.

— Je ne suis pas magnifique ! proteste Cherry. Je suis super banale. Honey, elle, est vraiment canon. C'est pour ça que j'ai cru… que tu en avais peut-être marre de moi et que tu avais envie de te remettre avec elle.

— Tu es tout sauf banale, Cherry. Pour moi, tu es la plus belle fille du monde, à l'intérieur comme à l'extérieur. Je n'ai jamais éprouvé ça pour Honey. Je tenais à elle, bien sûr – et c'est toujours le cas, parce que je la sens perdue et malheureuse. Elle était bouleversée à l'idée d'être placée dans un foyer. Elle voulait s'enfuir à nouveau. Je ne sais pas pourquoi elle est venue me voir, mais elle était là, alors j'ai essayé de l'aider comme je pouvais. Je n'imaginais pas une seconde que ça provoquerait un tel drame…

— Tu es tellement gentil, attentionné et généreux, me souffle Cherry. C'est pour toutes ces raisons que je t'aime.

En entendant ces mots, j'oublie aussitôt le contrat qui m'est passé sous le nez, l'aller-retour inutile à Londres et la punition qui m'attend. Je me moque d'avoir vécu les pires journées de ma vie, parce que je sais que tout va s'arranger. Et que ce sera encore mieux qu'avant.

Cherry se penche et m'embrasse. Je voudrais que ce baiser dure éternellement – ses lèvres tièdes ont un goût de dentifrice à la menthe, le goût du bonheur. Ensuite, nous restons assis un long moment sur les marches de la roulotte sous les cerisiers, dans les bras l'un de l'autre.

— Tout est oublié, alors ? je demande.

— Oui. Promis. Par contre… tu voudrais bien me chanter ta chanson encore une fois ? S'il te plaît ?

Je m'exécute.

10

Je ne rentre chez moi qu'à l'aube. Mon père crie, hurle et vocifère ; je suis puni jusqu'à Noël, avec interdiction de sortir sauf pour aller au lycée et au centre nautique. Je hausse les épaules. Rien de ce qu'il peut dire ou faire ne m'atteint plus.

Comme je ne réagis pas, il confisque mon téléphone et me prive d'Internet. Il menace même de jeter ma guitare au feu.

— Non ! l'arrête maman. Ça suffit ! Je ne cautionnerai pas ça, Jim. C'est trop cruel. Tu as déjà fait fuir un de tes fils – ne recommence pas avec Shay !

Je ne me rappelle pas avoir déjà vu ma mère prendre parti contre lui. Papa a l'air choqué.

— C'est pour son bien ! se justifie-t-il. Un jour, il me remerciera !

— Comme Ben ? demande maman. Tu as deux garçons merveilleux et bourrés de talent. Mais tu ne t'en rends pas compte, parce que toute leur vie tu as voulu leur imposer ta volonté et les transformer en ce qu'ils n'étaient pas. Tu as passé des années à essayer de modeler Ben à ton image. Mais c'est impossible, car il n'est pas toi ! Et tu as ignoré Shay parce que tu ne le comprenais pas, ce n'est pas mieux. Il est peut-être trop jeune pour une carrière dans la musique, mais tu ne peux pas briser ses rêves parce qu'ils ne correspondent pas aux tiens. Il deviendra célèbre, avec ou sans ton aide !

L'expression de papa passe de la colère à l'irritation, puis au dégoût.

— Je n'étais pas sérieux, pour la guitare, marmonne-t-il. Je ne suis pas un tyran. Je ne veux que leur bien !

— Alors laisse-les commettre des erreurs, parce que c'est comme ça qu'on apprend. C'est ce que nous avons fait. Arrête de les étouffer, Jim. Laisse-les devenir la personne qu'ils souhaitent, et contente-toi d'être fier d'eux.

Mon père grimace et quitte la pièce. Pour finir, je garde ma guitare, mais je suis toujours privé de téléphone et d'Internet. Maman n'adresse plus la parole à papa, sauf devant les clients du centre nautique. Elle ne lui apporte plus de thé, ne repasse plus ses chemises, ne lui prépare plus son petit déjeuner.

Ça dure une semaine.

En quinze ans, je n'avais jamais entendu ma mère hausser le ton ou exprimer son opinion. Et mon père ne semble pas ravi qu'elle l'ait fait. L'ambiance est très pesante.

À tel point que je suis soulagé d'aller au lycée. Je passe l'heure du déjeuner dans la salle de musique avec Cherry. Les autres élèves ne me rejettent plus, je suis pardonné. Ils me demandent si j'ai signé chez Wrecked Records ; quand je leur réponds qu'il n'y aura pas de contrat, ils me regardent, incrédules, comme si je leur cachais des choses. Ils s'attendent à me voir passer à la télé d'un jour à l'autre.

— J'adore ta nouvelle chanson, me félicite l'un d'eux.

Je remarque qu'il porte le même bonnet que moi.

— Elle est géniale, renchérit une fille.

— Mais… de quoi vous parlez ?

— De *Cœur salé* ! répond le garçon au bonnet.

— Comment se fait-il que tout le monde connaisse ma dernière compo ? je lance à Chris pendant le déjeuner.

— Difficile de passer à côté ! réplique Luke. Ta popularité est en train de crever le plafond. Toutes les filles sont folles de toi, et j'ai compté sept bonnets identiques au tien hier midi à la cantine. Petit veinard !

— Euh… je te rappelle que mes espoirs de contrat sont partis en fumée. Je suis puni jusqu'à Noël. Je n'ai plus ni portable ni accès Internet. Tu penses vraiment que j'ai de la chance ?

— Visiblement, tu as trouvé un moyen de te connecter dans le dos de ton père, intervient Chris. Ta page perso est mise à jour quotidiennement…

— Quoi ? Je n'ai pas de page perso !

— Arrête ! Tu y as même posté ta chanson dédiée à Cherry, *Cœur salé*. Elle déchire !

— Des tonnes de gens ont cliqué sur « J'aime » et ont laissé des commentaires, poursuit Luke. C'est plutôt bon signe !

— Mais… je ne comprends pas ! Ce n'est pas moi qui ai créé cette page !

Luke me la montre sur son smartphone. Sous le titre « Shay Fletcher Music », je découvre une photo en noir et blanc où l'on me voit jouer de la guitare près d'un feu de camp. Elle a dû être prise au cours d'une fête sur la plage cet été. Mais par qui ?

Luke et Chris n'ont pas menti : *Cœur salé* est en ligne. Je reconnais l'image grainée de la vidéo réalisée par Honey un soir, au bord de l'eau. Quelqu'un a augmenté le contraste et amélioré les réglages ; le résultat est plutôt réussi, avec un côté fait maison assez sympa. Et le son n'est pas mauvais.

Il y a des centaines de commentaires et près de mille deux cents « J'aime ».

— Comment la vidéo a-t-elle pu circuler aussi vite ? C'est dingue, je n'ai écrit la chanson que la semaine dernière !

Parmi les auteurs des commentaires, tous élogieux, je reconnais certains noms : Cherry, Skye, Summer, Tommy, Finn… ainsi que des dizaines d'élèves du lycée et même notre prof de maths, Mr Farrell. Les autres me sont inconnus.

— C'est comme ça sur le Web, m'explique Chris. Ça fonctionne par le bouche-à-oreille. De nos jours, les musiciens n'ont plus besoin de signer de contrat pour devenir célèbres, tu sais !

Les questions se bousculent dans ma tête. Honey est l'auteur du film, mais de là à créer une page Web pour faire connaître ma chanson… Ça me paraît peu probable que ce soit elle. J'en conclus que ce doit être une initiative de Cherry.

— Merci pour la super page Internet ! je lui glisse un peu plus tard, en montant dans le bus. Tu as dû y passer un temps fou !

— Ce n'est pas moi.

Un sourire mystérieux aux lèvres, elle joue avec le pendentif en forme de cerises que je lui ai offert.

— Visiblement, tu as un ange gardien. Quelqu'un qui te connaît bien. C'est trop cool ! Tous mes amis ont envoyé le lien à leurs contacts.

— Tu n'y es vraiment pour rien ?

— Non ! Je pensais que c'était Ben.

— Ça m'étonnerait… ce n'est pas son style.

— Peu importe, au fond. Ce qui compte, c'est que ça marche ! On ne sait jamais qui pourrait entendre ta chanson, si tu vois de quoi je parle…

— Euh… pas vraiment.

— Pas grave. Si tout se passe comme prévu, tu le découvriras bien assez tôt…

— Hein ? Cherry, tu ne peux pas dire des trucs pareils et t'arrêter là !

— Ne l'écoute pas, me lance Skye depuis l'autre côté de l'allée centrale. Elle essaie de t'embrouiller. De toute façon, ça ne donnera sans doute rien...

— Mais de quoi vous parlez ? je grogne.

— Un peu de patience ! me conseille Summer. Si ça doit arriver, ça arrivera. Sinon, tu n'auras rien perdu. Ne t'inquiète pas, Shay.

Elles se mettent à glousser et à chuchoter entre elles, refusant de m'en révéler davantage.

Le lendemain, mon frère quitte la maison. Il entasse sa valise et quelques cartons dans sa petite voiture, nous laisse sa nouvelle adresse sur un bout de papier et me tend un billet de cinquante livres.

— En cas de besoin, tu n'auras qu'à sauter dans le premier train pour Sheffield. Je suis sincère. Je serai toujours là pour toi.

— Merci, Ben.

— Si papa est insupportable, si tu en as marre des cours, ou simplement si tu as envie d'un *road trip*...

Je ris.

— D'accord. Tu vas me manquer.

Mon grand frère me serre contre lui. Comment ai-je pu passer quinze ans sans voir à quel point il est formidable ?

— Sérieux, insiste-t-il. Ne laisse pas papa contrôler ta vie. Contrairement à moi, tu as toujours su garder une certaine indépendance. Sois fort. Reste toi-même.

— Promis.

C'est au tour de maman de le prendre dans ses bras. Elle essuie une larme.

— Ton père est un vieux ronchon entêté, dit-elle. Mais il t'aime beaucoup. Il changera d'avis.

— Je sais, répond Ben.

Il monte dans sa voiture, démarre, puis jette un dernier regard vers la maison. Je devine qu'il pense à notre père. Il doit ressentir tellement d'émotions contradictoires pour cet homme qui a voulu vivre ses rêves à travers lui...

Au dernier moment, papa s'avance dans l'allée, le visage de marbre. Mon frère baisse sa vitre.

— J'espère que tu ne regretteras pas ta décision, fils. À mon avis, tu commets une énorme erreur.

Ben se contente de sourire.

— Ne t'en fais pas. J'aurais aimé que ça se passe autrement, mais... je n'ai aucun regret.

Quand la vieille Volkswagen s'éloigne, papa la suit des yeux, une main en visière, jusqu'à ce qu'elle ait disparu de l'autre côté de la colline.

— Je suis fier de toi, Ben, marmonne-t-il. Je le serai toujours.

Il passe un bras autour de mes épaules.

— Allez, viens. On a des cours à donner au centre nautique et des touristes à promener.

Nous travaillons dur toute la journée. Je remarque une légère amélioration dans les relations entre mon père et ma mère. Des tasses de thé apparaissent, des sourires se dessinent, quelques mots sont échangés. Comme au printemps après un hiver glacial, le dégel se confirme, lentement mais sûrement.

Alors que nous rangeons le centre après le départ des derniers clients, deux véhicules se garent dans un crissement de gravier. Le premier est le minivan rouge de Paddy, et l'autre une Citroën gris métallisé aux lignes élégantes. Paddy, Charlotte, Cherry, Skye, Summer et Coco sortent du fourgon ; Finn et sa mère Nikki, de la Citroën.

Je m'arrête net devant le bâtiment des douches, mon seau et ma serpillière à la main.

— Que... qu'est-ce qui se passe ? Il y a un problème ?

— Au contraire ! réplique Cherry. On t'apporte de bonnes nouvelles !

— Nous avons discuté avec tes parents ces derniers jours, m'explique Nikki. Et nous pensons avoir abouti à un compromis. Bien sûr, il faut que tu sois partant...

— Partant pour quoi ?

Maman et papa apparaissent à la porte du bureau.

— Nous venons d'obtenir l'accord définitif, leur annonce Nikki. Je tenais à vous l'annoncer en personne. Maintenant, il n'y a plus qu'à mettre Shay au courant.

— Au courant de quoi ?

— J'ai vu la vidéo de *Cœur salé* sur Internet, intervient Finn. C'est la meilleure chanson que tu aies jamais écrite. Je l'ai trouvée bouleversante, et plus je l'écoutais, plus je me disais qu'elle serait parfaite…

— Pour ?

— Pour le film ! s'exclame Nikki. Le tournage est terminé ; nous allons maintenant entamer le montage et la postproduction. Nous avions sélectionné quelques morceaux pour le générique, mais aucun n'est aussi fort que ta chanson, Shay. Elle colle parfaitement au scénario. Si tu es d'accord, nous aimerions beaucoup l'utiliser – contre dédommagement, bien entendu !

Je ne comprends toujours pas.

Je regarde Cherry, Skye et Summer ; voilà l'explication de leurs messes basses, de leurs gloussements, de leurs sourires en coin.

Mais mes parents ? Étaient-ils dans la confidence ? L'étincelle de fierté dans les yeux de papa et le sourire soulagé de maman me confirment que oui. Ils ont dû se disputer pendant des jours à ce sujet. Et ils ont fini par trouver un terrain d'entente.

— Je dois reconnaître que c'est une offre intéressante, déclare papa. On pourrait mettre cet argent de côté jusqu'à ta majorité.

— Attends... tu es d'accord ? Vraiment ?

— Vraiment, confirme maman. À condition que toi, tu en aies envie.

— Évidemment que j'en ai envie ! Je... waouh !

— Ça n'a rien à voir avec un contrat dans une grande maison de disques, reprend Nikki. Ça te permettra de faire un premier pas dans le milieu, en douceur. L'attention sera focalisée sur la musique, pas sur toi. Et tes parents sont rassurés de savoir que tu ne vas pas devenir la nouvelle idole des ados.

Mon père hausse un sourcil, comme s'il n'était pas encore tout à fait convaincu.

— Si ça se trouve, ce sera un bide, grogne-t-il. Mais si tu deviens célèbre, n'oublie pas ton vieux papa, hein ?

Il me regarde avec un demi-sourire, et quinze ans d'incompréhension commencent à s'effacer. Aujourd'hui, ça n'a plus d'importance. Dans une famille, il n'est jamais trop tard pour repartir de zéro.

Bien après, au coucher du soleil, je me dirige vers le cabanon, ma guitare bleue sur l'épaule, quand j'aperçois une silhouette solitaire sur la plage. Honey est tournée vers l'horizon, les cheveux ébouriffés par le vent, les bras croisés pour se protéger du froid.

— Hé, j'appelle.

Elle se retourne, brusquement arrachée à ses pensées.

— Je voulais te remercier, je dis.

— Pourquoi donc ?

— Eh bien… je crois que c'est toi qui as créé ma page Internet. Une page qui a eu un succès dingue…

— C'est ce qu'on appelle un phénomène viral. Je n'y suis pour rien. Je n'ai pas de temps à perdre avec les bonnes actions, moi. Je passe ma vie à étudier.

— Ben voyons ! En tout cas, la vidéo a beaucoup tourné… Finn et sa mère l'ont montrée aux gens de la télé, et ma chanson vient d'être choisie pour le générique de leur film. Apparemment, elle correspond au thème. Enfin, tu es sans doute déjà au courant, vu que ta mère et tes sœurs ont débarqué au centre nautique tout à l'heure avec Finn et Nikki pour me l'annoncer. Et le plus beau, c'est que mon père a arrêté de faire sa tête de mule et a donné son accord…

— Je sentais qu'il se tramait un truc. Tu vois, la chance finit toujours par tourner !

— Eh oui. C'est pour ça que je voulais te remercier, parce que c'est toi qui m'as filmé, et que je suis convaincu que tu as aussi mis la vidéo en ligne. Tout le monde se demande qui se cache derrière cette initiative… Cherry et les autres ont pensé à Ben, mais il me l'aurait dit. En plus, il n'utilise pas les réseaux sociaux.

— Qu'est-ce que ça peut faire, qui a créé la page ? La vie est pleine de mystère…

— Un mystère que j'ai éclairci, je réplique en souriant. J'adore les retouches que tu as faites. Le résultat est très artistique.

— Merci. Tu sais, tu devrais leur laisser croire que c'est Ben. Sinon, je vais encore t'attirer des problèmes.

— Ça n'arrivera plus. Je me suis réconcilié avec Cherry. Nous deux, c'est du solide.

— Ah. Tant mieux.

La sentant très émue, je détourne les yeux. Quand je les relève quelques secondes plus tard, toute trace de tristesse a disparu de son visage. Il ne reste que son maquillage parfait, son sourire éclatant et le regard dur que je connais si bien.

— File, Shay. Tu sais ce qui arrive quand tu traînes avec moi. Je ne suis pas fréquentable. Je suis méchante et égocentrique.

— Je ne suis pas d'accord.

— C'est vrai. Tu dois être le seul.

L'ombre d'un sourire flotte sur ses lèvres.

— Au fond, c'est peut-être mieux comme ça.

Elle tourne les talons et s'éloigne sur la plage en direction de Tanglewood, sans un regard en arrière.

les filles au chocolat

Cherry Costello

Timide, sage, toujours à l'écart.
Elle a parfois du mal à distinguer le rêve de la réalité.
14 ans

Née à : Glasgow

Mère : Kiko

Père : Paddy

Allure : petite, mince, la peau café au lait, les cheveux raides et noirs avec une frange, elle a souvent deux petits chignons.

Style : jeans moulants de toutes les couleurs, tee-shirts à motifs japonais.

Aime : rêver, les histoires, les fleurs de cerisier, le soda, les roulottes.

Trésors : kimono, ombrelle, éventail japonais, une photo de sa mère.

Rêve : faire partie d'une famille.

Coco Tanberry

Chipie, sympa et pleine d'énergie.
Elle adore l'aventure et la nature.
12 ans

Née à : Kitnor

Mère : Charlotte

Père : Greg

Allure : cheveux blonds et bouclés, coupés au carré et toujours en broussaille, yeux bleus, taches de rousseur, grand sourire.

Style : garçon manqué, jeans, tee-shirts, elle est toujours débraillée et mal coiffée.

Aime : les animaux, grimper aux arbres, se baigner dans la mer.

Trésors : Fred le chien et les canards.

Rêve : avoir un lama, un âne et un perroquet.

Skye Tanberry

Avenante, excentrique, indépendante et pleine d'imagination.
13 ans
Sœur jumelle de Summer

Née à : Kitnor

Mère : Charlotte

Père : Greg

Allure : cheveux blonds jusqu'aux épaules, yeux bleus, grand sourire.

Style : chapeaux et robes chinés dans des friperies.

Aime : l'histoire, l'astrologie, rêver et dessiner.

Trésors : sa collection de robes vintage et un fossile trouvé sur la plage.

Rêve : voyager dans le temps pour voir à quoi ressemblait vraiment le passé…

Summer Tanberry

Calme, sûre d'elle, jolie et populaire.
Elle prend la danse très au sérieux.
13 ans
Sœur jumelle de Skye

Née à : Kitnor

Mère : Charlotte

Père : Greg

Allure : longs cheveux blonds tressés ou relevés en chignon de danseuse, yeux bleus, gracieuse.

Style : tout ce qui est rose... Tenues de danseuse et vêtements à la mode, elle est toujours très soignée.

Aime : la danse, surtout la danse classique.

Trésors : ses pointes et ses tutus.

Rêve : intégrer l'école du Royal Ballet, devenir danseuse étoile, puis monter sa propre école.

Honey Tanberry

Lunatique, égoïste, souvent triste...
Elle adore les drames, mais elle sait aussi se montrer intelligente, charmante, organisée et très douce.
15 ans

Née à : Londres

Mère : Charlotte

Père : Greg

Allure : longs cheveux blonds ondulés, yeux bleus, peau laiteuse, grande et mince.

Style : branché, robes imprimées, sandales, shorts et tee-shirts.

Aime : dessiner, peindre, la mode, la musique… et Shay Fletcher.

Trésors : ses cheveux, son journal, son carnet à dessin et sa chambre en haut de la tour.

Rêve : devenir mannequin, actrice ou créatrice de mode.

Les
recettes au
chocolat

Petits roulés salés

Il te faut :
une pâte feuilletée • 3 tranches de jambon • du ketchup • du gruyère râpé

1. Déroule ta pâte feuilletée.

2. Étale du ketchup sur toute la surface de la pâte, dispose ensuite les tranches de jambon puis recouvre l'ensemble d'une fine couche de gruyère râpé.

3. Roule ta pâte sur elle-même.

4. Fais cuire le rouleau obtenu au four, pendant 15 minutes, à 220 °C.

5. Coupe ton rouleau en fines tranches.

C'est prêt !

Breakfast anglais

Il te faut :

du thé • du jus de fruit • deux œufs • du bacon • de la confiture • du pain

1. Fais frire le bacon pendant une minute à la poêle.
2. Fais cuire les deux œufs au plat, sale et poivre.
3. Tartine des tranches de pain de confiture.
4. Dispose le tout sur un plateau avec une tasse de thé et un verre de jus de fruit !

Voilà un petit déjeuner anglais typique !

Cake au bacon et au comté

Il te faut :

150 g de comté râpé • 150 g de bacon • 100 g de beurre • 180 g de farine • 3 œufs • 15 cl de lait • 1 sachet de levure

1. Préchauffe le four à 200 °C.
2. Coupe le bacon en petits morceaux.
3. Mélange la farine et la levure, puis ajoute les œufs, le beurre fondu, le lait et le bacon.
4. Mélange bien ta préparation.
5. Beurre un moule à cake.
6. Verse ta préparation dans le moule et laisse cuire pendant 30 minutes.

Le petit plus : tu peux ajouter des olives à ta préparation !

Fameux pancakes

Il te faut :

250 g de farine • 3 cuillères à soupe de sucre • 2 œufs • 1 sachet de levure chimique • 50 g de beurre • 35 cl de lait

1. Mélange le sucre, la farine, la levure et les œufs.
2. Fais fondre le beurre à feu doux, puis ajoute-le à ta préparation.
3. Laisse reposer le mélange pendant environ une heure.
4. Fais cuire tes pancakes comme de petites crêpes !

Quelle fille
au chocolat
es-tu ?

❀ **Pour toi, une soirée feu de camp, c'est...**

1. un moment romantique, avec une guitare et des chansons d'amour.
2. une veillée « histoires d'horreur ».
3. l'occasion de manger des chamallows grillés.
4. des jeux avec des confidences et des gages.
5. la promesse de nouvelles rencontres.

❀ **En général, tu es plutôt...**

1. rêveuse.
2. intrépide.
3. décalée.
4. ambitieuse.
5. rebelle.

❀ **Pour prendre soin de toi, tu veilles avant tout à...**

1. manger cinq fruits et légumes par jour.
2. faire du sport.
3. te cultiver.
4. faire attention à ton apparence.
5. vivre au gré de tes envies.

❀ **On te propose de sauter en parachute...**

1. Tu refuses. Ça te fait bien trop peur.
2. Tu sautes de joie, c'est un rêve qui devient réalité.
3. Tu hésites, mais finis par accepter pour accompagner tes copines.
4. Tu relèves le défi, pour te prouver que tu en es capable.
5. Ça ne sera pas la première fois, mais pourquoi ne pas recommencer ?

❀ **Tes amis sont...**

1. peu nombreux, mais tu peux vraiment compter sur eux.
2. d'excellents camarades de jeu.
3. très différents les uns des autres.
4. les mêmes depuis la maternelle ou presque !
5. souvent en froid avec toi.

❀ **Ta principale qualité...**

1. ta capacité d'écoute.
2. ta joie de vivre.
3. ta créativité.
4. ta ténacité.
5. ton esprit d'initiative.

❀ **De ton point de vue, avoir un petit-ami, c'est...**

1. être complètement soi-même avec quelqu'un.
2. comme avoir un meilleur ami, mais en plus compliqué.
3. partager ses passions.
4. du temps libre en moins.
5. prendre le risque d'avoir le cœur brisé.

❀ **Tu ferais le tour du monde...**

1. en amoureux.
2. à pied, à cheval ou à vélo !
3. pour visiter les plus beaux sites et musées du monde.
4. si tu étais très riche.
5. sur un coup de tête.

✿ **Tu as obtenu un maximum de 1 : Cherry**

Tu aimes les histoires, celles que tu lis mais aussi celles que tu inventes. Romantique, tu aimes les endroits qui attisent ta créativité et tu rêves de longues promenades au bras de ton amoureux…

✿ **Tu as obtenu un maximum de 2 : Coco**

Rien ne t'amuse plus qu'enfiler des bottes en caoutchouc et sauter dans les flaques d'eau en criant. Après tout, pourquoi s'en priver ? Pour toi, il faut profiter de la vie, tout en protégeant son environnement ; tu es une vraie graine d'écologiste !

✿ **Tu as obtenu un maximum de 3 : Skye**

Originale, romanesque, créative et très curieuse, tu aimes lire, te déguiser, fouiller, te documenter… N'aurais-tu pas une âme de détective ?

✿ **Tu as obtenu un maximum de 4 : Summer**

Déterminée, passionnée et sensible, tu es prête à tout pour aller au bout de tes rêves… ce qui ne t'empêche pas d'adorer les sorties entre copines !

✿ **Tu as obtenu un maximum de 5 : Honey**

Tu es à l'affût des dernières tendances et cultives ton look branché. Tu fais parfois l'effet d'un ouragan à ton entourage qui ne sait pas toujours comment s'y prendre avec toi… Pourtant, tu aimes te sentir entourée.

Découvrez toute la série

Tome 1
Cœur cerise

Découvrez la rêveuse **Cherry**, qui s'installe chez la compagne de son père ! À peine arrivée, la jeune fille craque bien malgré elle pour Shay, le petit copain d'une de ses « demi-sœurs ». Comment pourra-t-elle choisir entre sa nouvelle famille – elle qui a longtemps souffert de la solitude – et le charme irrésistible de Shay ?

Tome 2 Cœur guimauve

Plongez dans l'univers extravagant de **Skye** ! Même si elle est pleine de charme et possède un petit grain de folie tout à fait craquant, Skye ne peut s'empêcher de se trouver nulle à côté de sa sœur jumelle, Summer. Comment sortir de l'ombre tout en restant soi-même ?

Tome 3 Cœur mandarine

Vibrez avec **Summer**, qui rêve de devenir danseuse ! Sélectionnée pour les examens d'entrée à une prestigieuse école de danse, la pression monte terriblement pour la jeune fille… mais personne dans son entourage ne réalise à quel point elle a besoin d'aide. Personne, sauf son ami Tommy. Summer ira-t-elle au bout de son rêve ?

Tome 4 Cœur coco

Suivez l'irrésistible **Coco** ! Sa passion : la nature et les animaux. Son problème : personne ne la prend jamais au sérieux. C'est pourquoi, quand son poney préféré est vendu à un propriétaire inquiétant, Coco ne peut compter que sur elle-même pour le sauver. Mais est-elle vraiment si seule ?

Parution chez Pocket Jeunesse en octobre 2015.

Cet ouvrage a été composé par
Fr&co - 61290 Longny-au-Perche

Cet ouvrage a été imprimé
en Espagne par
Liberdúplex
Sant Llorenç d'Hortons (Barcelone)

Dépôt légal : juin 2015.
Suite du premier tirage : novembre 2016

Pocket Jeunesse, une marque d'Univers Poche,
est un éditeur qui s'engage pour
la préservation de son environnement
et qui utilise du papier fabriqué à partir
de bois provenant de forêts gérées
de manière responsable.

12, avenue d'Italie – 75627 PARIS Cedex 13